W tej powieści nie ma nic przewidywalnego. Poczucie zagrożenia nieustannie wisi jak klątwa, ale najbardziej przejmujące są te momenty, kiedy autor pozwala swoim bohaterom i czytelnikom odpocząć, kiedy mogą nabrać dystansu do tego, co się wydarzyło, i do tego, co nieuchronnie nastąpi.

„The Rolling Stone"

Wstrząsająco prawdziwy portret dwóch afroamerykańskich chłopców walczących o przetrwanie na amerykańskim Południu u schyłku ery praw Jima Crowa.

„Booklist"

Ceniony autor *Kolei podziemnej* powraca w najwyższej formie z ponurą i pełną okrucieństwa opowieścią o amerykańskim Południu. Akcja książki rozgrywa się w połowie XX wieku, a opisywany horror jest tym bardziej przerażający, że oparty na autentycznych wydarzeniach.

„Kirkus Reviews"

# MIEDZIAKI

# COLSON WHITEHEAD

# MIEDZIAKI

**Z angielskiego przełożył**
**Robert Sudół**

ALBATROS

Tytuł oryginału:
THE NICKEL BOYS

Copyright © Colson Whitehead 2019
All rights reserved

Polish edition copyright © Wydawnictwo Albatros Sp. z o.o. 2019

Polish translation copyright © Robert Sudół 2019

Redakcja: Anna Walenko

Zdjęcie na okładce:
*Reflection*, Harlem, New York, 1964 © Neil Libbert/Bridgeman Images

Projekt graficzny okładki oryginalnej: Oliver Munday

Opracowanie graficzne okładki polskiej: Kasia Meszka

Skład: Laguna


ISBN 978-83-8125-614-8

Książka dostępna także jako e-book i audiobook
(czyta Janusz Zadura)


*Wyłączny dystrybutor*

Dressler Dublin sp. z o.o.
Poznańska 91, 05-850 Ożarów Mazowiecki
tel. (+ 48 22) 733 50 31/32
e-mail: dystrybucja@dressler.com.pl
dressler.com.pl


*Wydawca*

Wydawnictwo Albatros Sp. z o.o.
Hlonda 2A/25, 02-972 Warszawa
wydawnictwoalbatros.com
Facebook.com/WydawnictwoAlbatros | Instagram.com/wydawnictwoalbatros

ALBATROS

2019. Wydanie I
Druk: CPI Moravia Books, Czech Republic

R07113 25850

*Dla Richarda Nasha*

# Prolog

————————

Nawet po śmierci chłopcy sprawiali problemy.

Tajny cmentarz znajdował się po północnej stronie Miedziaka, na pstrokatej parceli zarosłej dziką trawą, pomiędzy starym warsztatem a śmietniskiem. Pole służyło za pastwisko w czasach, gdy szkoła otworzyła mleczarnię, żeby sprzedawać miejscowej klienteli nabiał – jedno z przedsięwzięć stanu Floryda, aby ulżyć podatnikom w kosztach utrzymania zakładu poprawczego. Deweloperzy budujący kompleks biurowy zagarnęli ten teren pod plac z restauracjami, czterema aranżacjami wodnymi i betonową sceną na okazjonalne imprezy. Odkrycie zwłok stanowiło bardzo kosztowną komplikację dla zaangażowanej agencji nieruchomości, czekającej na zielone światło po analizie wpływu inwestycji na środowisko naturalne, oraz dla prokuratury, która niedawno umorzyła dochodzenie w sprawie domniemanego znęcania się nad podopiecznymi

Miedziaka. Teraz należało wszcząć nowe śledztwo, ustalić tożsamość zmarłych i przyczynę ich śmierci. Nikt nie miał bladego pojęcia, kiedy teren zostanie wyrównany, oczyszczony, zgrabnie uwolniony od przeszłości, a tego zdaniem ogółu należało dokonać dawno temu.

Wszyscy chłopcy wiedzieli o tej cholernej parceli. Ale trzeba było dopiero studentki z Uniwersytetu Południowej Florydy, żeby dowiedział się świat, dziesiątki lat po tym, gdy pierwszego miedziaka zasznurowano w worku na kartofle i wrzucono do dołu. Spytana, jak wypatrzyła groby, Jody odparła:

– Ziemia wyglądała dziwnie.

Zapadły teren, liche chwasty. Jody z resztą uniwersyteckiej ekipy archeologicznej od miesięcy prowadziła wykopaliska w obrębie oficjalnego cmentarza. Władze stanowe nie mogły rozporządzać posiadłością, dopóki ludzkie szczątki nie zostaną przeniesione w inne miejsce, studenci zaś musieli zaliczyć zajęcia w terenie. Używając palików i drutu, podzielili teren na sektory. Kopali szuflami i przy użyciu ciężkiego sprzętu. Na tackach, po przesianiu ziemi, zostały kości, klamry od pasków i butelki po wodzie sodowej, wszystko w formie bezładnej ekspozycji.

Oficjalny cmentarz chłopcy z Miedziaka nazywali Boot Hill, tak jak miejsca pochówku typów spod ciemnej gwiazdy – nazwę wzięli z westernów, na które chodzili w soboty, zanim zesłano ich do zakładu poprawczego i pozbawiono podobnych rozrywek. Nazwa przylgnęła, ostała się na pokolenia, także wśród studentów z południowej Florydy, którzy nigdy w życiu nie widzieli westernu. Boot Hill znajdował się na dużym stoku po północnej stronie. Białe krzyże na mogiłach łowiły słońce w pogodne popołudnie. Na dwóch trzecich z nich wyryto nazwiska; reszta była nietknięta. Identyfikacja okazała się sprawą trudną, ale rywalizacja między młodymi archeologami gwarantowała stały postęp. Szkolne archiwa, chociaż niekompletne i prowadzone mało starannie, wskazały, kim był „WILLIE 1954". Spalone szczątki uwidaczniały los tych, którzy zginęli w pożarze internatu w 1921 roku. Przyporządkowanie DNA do żyjących krewnych – do tych, których studentom udało się odnaleźć – połączyło zmarłych ze światem żywych. Z czterdziestu trzech ciał siedem pozostało anonimowych.

Studenci usypali białe krzyże w stos obok wykopaliska. Gdy nazajutrz rano wrócili do pracy, okazało się, że ktoś roztrzaskał wszystkie w drobny mak.

Boot Hill oddawał chłopców jednego po drugim. Jody poczuła podekscytowanie, gdy obmywając wodą ze szlauchu znaleziska wyjęte z jednego z wykopów, zobaczyła pierwsze szczątki. Profesor Carmine powiedział, że mała kość w jej dłoni należała najprawdopodobniej do szopa pracza albo innego niedużego zwierzęcia. Tymczasem dzięki tajnemu cmentarzysku Jody się zrehabilitowała. Dokonała odkrycia, gdy chodziła dokoła w poszukiwaniu sieci komórkowej. Profesor poparł jej domysły na podstawie zaobserwowanych nieprawidłowości: te wszystkie pęknięcia i rozłupane czaszki, żebra przeorane śrutem. Jeśli szczątki z oficjalnego cmentarza budziły podejrzenia, to jaki los spotkał tych z nieoznakowanych mogił? Dwa dni później psy tropiące i obrazowanie wielospektralne potwierdziły sprawę. Brak białych krzyży, brak nazwisk. Tylko kości czekające na odkrycie.

– A mówili na to „szkoła" – powiedział profesor Carmine.

Na ponad czterech tysiącach metrów kwadratowych ziemi można sporo ukryć.

Któryś z dawnych wychowanków lub ich krewnych dał cynk mediom.

Na tamtym etapie studenci nawiązali już relacje z byłymi podopiecznymi zakładu poprawczego, przeprowadzili z nimi wywiady. Ludzie ci przypominali zrzędliwych wujów i zakapiorów ze starych osiedli, mężczyzn, którzy mogą nieco zmięknąć, gdy się ich lepiej pozna, ale nigdy nie tracą twardego środka. Studenci archeologii powiedzieli im o drugim cmentarzu, powiedzieli członkom rodzin o martwych chłopakach, których wykopali z ziemi, a wtedy miejscowa radiostacja wysłała reportera. Wielu dawnych wychowanków już wcześniej mówiło o tajnych grobach, ale jak zawsze w przypadku Miedziaka, nikt im nie uwierzył. Wszystko zmieniło się dopiero wtedy, gdy to samo usłyszano z innych ust.

10

Prasa ogólnokrajowa podchwyciła temat i wówczas ludzie po raz pierwszy przyjrzeli się bliżej szkole w zakładzie poprawczym. Miedziak był zamknięty od trzech lat, co tłumaczyło dzikość terenu i typowy nastoletni wandalizm. Nawet najniewinniejszy zakątek – stołówka czy boisko – wyglądał złowrogo, więc nie trzeba było retuszować zdjęć dla efektu. Materiał filmowy robił bardzo niepokojące wrażenie. W kątach drżały i pełzały cienie, a każdy ślad i zaciek wydawał się plamą zakrzepłej krwi. Jakby wszystkie obrazy uwiecznione przez kamerę odsłaniały ponurą tajemnicę – tego Miedziaka, jaki widać od środka i o jakim nie mówi się na zewnątrz.

Jeśli tak sprawa się miała z niewinnymi miejscami, to jak wyglądały te makabryczne?

Chłopcy z poprawczaka byli tańsi niż najtańsze fordanserki, a dostawało się od nich więcej za swoje pieniądze, przynajmniej tak mawiano. W ostatnich latach niektórzy byli wychowankowie organizowali grupy wsparcia, odnawiali kontakty przez internet albo spotykali się w bistrach i McDonaldzie. Lub przy stole u kogoś w kuchni, po godzinnej podróży. Razem uprawiali własną fantomową archeologię, przekopując się przez dziesięciolecia i odzyskując dla ludzkich oczu okruchy tamtych dni. Każdy z własnymi znaleziskami. „Mówił, że później złoży mi wizytę". „Rozklekotane schody w szkolnej piwnicy". „Otarte do krwi stopy w tenisówkach". Składali te kawałki w obraz potwierdzający wspólnie przeżyty mroczny czas. Skoro to prawda w twoim przypadku, to także prawda w przypadku kogoś innego, więc już nie jesteś sam.

Duży John Hardy, emerytowany sprzedawca dywanów z Omaha, prowadził stronę internetową miedziaków, zamieszczając na niej najnowsze doniesienia. Informował pozostałych o petycji na rzecz wszczęcia kolejnego śledztwa i o przygotowywaniu oficjalnych przeprosin przez władze. Mrugający widżet cyfrowy śledził zbiórkę funduszy na budowę planowanego pomnika. Prześlij mailem Dużemu Johnowi swoją historię z Miedziaka, a wrzuci ją do internetu opatrzoną twoim zdjęciem. Udostępnienie linku rodzinie było jak konstatacja: to właśnie tam mnie ulepiono. Wyjaśnienie i zarazem przeprosiny.

Piąty z kolei doroczny zjazd był dziwny, choć konieczny. Chłopcy byli teraz starszymi facetami, mieli żony i eksżony, dzieci, z którymi rozmawiali lub nie rozmawiali, nieufne wnuki, które czasem przywozili, oraz te, których nie wolno im było widywać. Albo sklecili sobie jakieś życie po wyjściu z Miedziaka, albo nigdy nie dopasowali się do normalnych ludzi. Ostatni palacze papierosów nieznanych już marek, spóźniający się na zajęcia terapeutyczne, zawsze o krok od zniknięcia. Martwi w więzieniu, gnijący w pokojach wynajmowanych na tygodnie, zamarznięci na śmierć w lesie po wypiciu terpentyny. Mężczyźni spotykali się w sali konferencyjnej Eleanor Garden Inn, by nadrobić zaległości, po czym ruszali kawalkadą na uroczysty obchód po Miedziaku. W niektóre lata czułeś się na siłach, żeby zagłębić się w ten betonowy korytarz, chociaż wiadomo było, że prowadzi do złych wspomnień, a w niektóre wręcz przeciwnie. Unikaj widoku tego budynku albo śmiało patrz mu w facjatę, zależnie od swoich zasobów tego ranka. Duży John po każdym zjeździe umieszczał w internecie sprawozdanie z myślą o tych, którzy nie dali rady przyjechać.

W Nowym Jorku mieszkał dawny miedziak Elwood Curtis. Co jakiś czas szukał w sieci informacji o zamkniętym poprawczaku, żeby zobaczyć, czy pojawiło się coś nowego, ale od zjazdów trzymał się z daleka i nie dopisywał się do list, a to z wielu powodów. Jaki w tym sens? Dorośli mężczyźni. Co, podsuwacie sobie nawzajem chusteczki do otarcia łez? Jeden z pozostałych wrzucił do internetu historię o tym, jak pewnego wieczoru zaparkował przed domem Spencera i gapił się przez wiele godzin na sylwetki w oknie, aż w końcu wybił sobie zemstę z głowy. Zrobił nawet replikę skórzanego pasa, którą chciał wypróbować na nadzorcy. Elwood tego nie kumał. Gdyby szli na całego, może by się przyłączył.

Kiedy jednak odkryto tajny cmentarz, zrozumiał, że musi wrócić. Zagajnik cedrów widoczny za ramieniem reportera telewizyjnego przywołał uczucie gorąca na jego skórze, świst suchych much w uszach. To wcale nie było tak dawno. I nigdy nie będzie.

# CZĘŚĆ PIERWSZA
----------

# Rozdział pierwszy

‒ ‒ ‒ ‒ ‒ ‒ ‒ ‒

W Boże Narodzenie 1962 roku Elwood dostał najlepszy prezent w swoim życiu, choć przecież podarek ten zrodził w nim myśli, które doprowadziły go do zguby. Płyta *Martin Luther King at Zion Hill* była jego jedyną i prawie nigdy nie schodziła z gramofonu. Babcia Harriet miała kilka krążków z gospel, które puszczała wtedy, gdy świat znowu wrednie ją potraktował. Elwoodowi nie wolno było słuchać zespołów wytwórni Motown ani popularnych piosenek z powodu ich wulgarnego charakteru. Pozostałymi prezentami okazały się części garderoby – nowy czerwony sweter i skarpetki. Z całą pewnością zniszczyły się w noszeniu, ale nic tak dobrze nie wytrzymywało ciągłego użytku jak płyta gramofonowa. Każda rysa i trzask, których przybywało z upływem miesięcy, były świadectwem oświecenia Elwooda. Ilekroć słuchał, osiągał coraz głębsze rozumienie słów wielebnego. Chrzęst prawdy.

Nie mieli telewizora, jednak przemówienia doktora Kinga stanowiły tak wymowną kronikę zdarzeń – zawierającą wszystko, czym Murzyn był i czym miał być – że płyta okazała się równie dobra jak telewizja. Może nawet lepsza, szlachetniejsza, jak ten górujący nad okolicą ekran w Davis Drive-In, gdzie Elwood zajrzał dwa razy. Widział to wszystko: Afrykanie gnębieni przez biały grzech niewolnictwa. Murzyni poniżani i ciemiężeni przez segregację, no i ten świetlany obraz, gdy nagle otworzyły się wszystkie miejsca, dotąd zamknięte dla jego rasy.

Przemówienia zostały nagrane wszędzie, w Detroit, Charlotte i Montgomery, i łączyły Elwooda z walką o prawa czarnych w całym kraju. Jedno z nich sprawiło nawet, że poczuł się jak członek rodziny Kinga. Każdy dzieciak słyszał o wesołym miasteczku, był w nim albo zazdrościł komuś, kto był. W trzecim wejściu na stronie A doktor King mówił o swojej córce marzącej o wizycie w lunaparku przy Stewart Avenue w Atlancie. Yolanda błagała o to rodziców za każdym razem, gdy widziała z szosy wielki szyld albo gdy w telewizji wyświetlano reklamy. Swoim smutnym gardłowym głosem doktor King musiał jej wytłumaczyć, że obowiązuje system segregacji rasowej, który zatrzymuje kolorowe dziewczynki i chłopców po drugiej stronie płotu. Musiał wyjaśnić błędne rozumowanie białych – nie wszystkich, ale dostatecznie wielu – które nadawało temu systemowi moc i sens. Radził córce, aby oparła się złudnemu powabowi nienawiści i goryczy, zapewnił ją, że „choć nie możesz pójść do wesołego miasteczka, wcale nie jesteś gorsza niż ci, którzy tam chodzą".

Taki właśnie był Elwood – nie gorszy od reszty. Trzysta siedemdziesiąt kilometrów na południe od Atlanty, w Tallahassee. Czasem widział reklamy wesołych miasteczek, gdy odwiedzał krewnych w Georgii. Przejażdżki gondolami i wesoła muzyka, rozradowane białe dzieciaki stojące w ogonku do kolejki górskiej i minigolfa. Zapinające pasy w rakiecie atomowej lecącej na Księżyc. Wzorowe świadectwo szkolne gwarantuje darmowy wstęp, głosiła reklama – pod warunkiem, że nauczyciel przybił czerwoną pieczątkę. Elwood miał najlepsze stopnie i trzymał plik świadectw w oczekiwaniu na dzień, kiedy do wesołego miasteczka uzyskają wstęp wszystkie dzieci Boże, jak to obiecał doktor King.

– Będę wchodził za darmo przez cały tydzień, bez problemu – powiedział do babci, leżąc w dużym pokoju i szorując kciukiem po wytartym dywanie.

Babcia Harriet odratowała ten dywan z tylnego zaułka po ostatnim remoncie hotelu Richmond. Biurko w jej pokoju, mały stolik obok łóżka Elwooda oraz trzy lampy też były sprzętami wyrzuconymi z Richmond. Harriet pracowała w tym hotelu od czternastego roku życia, kiedy to dołączyła do swojej matki w ekipie sprzątaczek. Gdy Elwood poszedł do szkoły średniej, dyrektor hotelu, pan Parker, dał jasno do zrozumienia, że przyjmie go jako boya, bo potrzebuje takiego łebskiego smarkacza. Ten biały mężczyzna był więc rozczarowany, kiedy chłopak zatrudnił się w trafice Marconiego. Pan Parker zawsze okazywał życzliwość rodzinie Elwooda, nawet po tym, jak wylał jego matkę za kradzież.

Chłopak lubił Richmond, lubił też pana Parkera, ale myśl o związaniu czwartego pokolenia rodziny z dziejami hotelu sprawiała, że czuł się nieswojo w sposób, którego nie potrafił opisać. I to nawet przed tą historią z encyklopediami. Gdy był młodszy, po szkole siadywał na skrzynce w hotelowej kuchni i czytał komiksy i cykl *Hardy Boys*, a babcia sprzątała i szorowała na górze. Jego rodzice wybyli w świat, wolała więc trzymać dziewięcioletniego wnuka przy sobie, zamiast pozwolić mu obijać się samemu po domu. Widząc Elwooda w towarzystwie innych, uznawała te popołudnia za drugą szkołę, cieszyła się, że wnuk obraca się wśród ludzi. Kucharze i kelnerzy traktowali chłopca jak maskotkę, bawili się z nim w chowanego i serwowali wyświechtane mądrości na różne tematy: obyczaje białych, odpowiednie traktowanie panny, strategie chowania pieniędzy po domu. Najczęściej Elwood nie rozumiał, o czym mówią ci mężczyźni, jednak dzielnie kiwał głową, po czym wracał do czytania książek przygodowych.

Podczas przestojów w pracy rzucał czasem wyzwanie zmywaczom w konkurencji wycierania talerzy na czas, a oni dobrodusznie okazywali zaskoczenie z powodu jego wyższości w tej dyscyplinie. Lubili widzieć uśmiech na jego twarzy i osobliwy zachwyt po każdym odniesionym zwycięstwie. Ale potem nastąpiła rotacja personelu. Nowe hotele w śródmieściu podkupywały pracowników, kucharze przychodzili i odchodzili, kilku kelnerów nie wróciło, gdy kuchnię ponownie otwarto po podtopieniu fundamentów. W wyniku tej zmiany wyścigi Elwooda z miłej rozrywki przerodziły się w nieprzyjemną krzątaninę; nowi zmywacze dostali cynk, że wnuk jednej ze sprzątaczek odwali za ciebie robotę, jeśli mu wmówisz, że to zabawa, miej na to oko. Kim jest ten poważny chłopak, który się tu kręci, gdy reszta z nich zapieprza, poklepywany po głowie przez pana Parkera, jakby był pieskiem, siedzący z nosem w komiksach, jakby miał wszystko gdzieś? Nowy narybek w kuchni chciał przekazać młodemu umysłowi inne lekcje życiowe. To, czego się już dowiedzieli o świecie. Elwood pozostawał nieświadomy, że istota rywalizacji uległa zmianie. Gdy rzucał wyzwanie konkurentom, wszyscy w kuchni uśmiechali się półgębkiem.

Miał dwanaście lat, kiedy pojawiły się encyklopedie. Jeden z pomocników wciągnął do kuchni stos kartonów i zwołał naradę. Elwood wcisnął się do kręgu – zawartością pudeł okazał się komplet encyklopedii, który jakiś komiwojażer porzucił w jednym z apartamentów na górze. Krążyły legendy o cennych przedmiotach pozostawianych przez białych klientów w pokojach, rzadko jednak zdarzało się, żeby podobny łup zjechał do ich podziemia. Kucharz Barney otworzył górne pudło i wyjął oprawiony w skórę tom *Fisher's Universal Encyclopedia, A-Be*. Podał go Elwoodowi, który był zaskoczony ciężarem książki, cegłą z kartkami o czerwonych brzegach. Zaczął wertować, mrużąc oczy nad drobnym drukiem – „Archimedes", „argonauta" – i już wyobraził sobie, że leży na kanapie w domu i przepisuje ulubione słowa. Słowa, które wyglądają interesująco na papierze albo brzmią interesująco w jego wyimaginowanej artykulacji.

Pomocnik Cory zaoferował, że odda komuś swoje znalezisko – nie umiał czytać i nie zamierzał się rychło nauczyć. Elwood się zgłosił. Biorąc pod uwagę skład personelu kuchni, było mało prawdopodobne, że znajdzie się inny chętny na encyklopedię. Ale wtedy Pete, jeden z nowych zmywaczy, powiedział, że się z nim ścignie o te książki.

Pete był niezgrabnym Teksańczykiem, którego przyjęto do hotelu dwa miesiące wcześniej. Zatrudniono go do sprzątania ze stołów, ale po kilku incydentach przeniesiono do kuchni. Pracując, zerkał przez ramię, jakby się bał, że jest obserwowany, i w ogóle niewiele mówił, jednak z upływem czasu swoim chrapliwym śmiechem ściągnął na siebie kpiny pozostałych. Pete wytarł dłonie o spodnie i powiedział:

– Mamy czas przed kolacją. Jesteś gotowy?

W kuchni urządzono więc porządne zawody. Największe jak dotąd. Skombinowano stoper i wręczono go Lenowi, siwowłosemu kelnerowi, który pracował w hotelu od ponad dwudziestu lat. Swój czarny uniform utrzymywał w nienagannej czystości i twierdził, że jest zawsze najlepiej ubranym człowiekiem w sali jadalnej, co wprawia białych klientów w zażenowanie. Z racji uwagi, jaką poświęcał szczegółom, idealnie nadawał się na rzetelnego arbitra. Ustawiono dwa stosy złożone z pięćdziesięciu dwóch talerzy każdy, namoczonych wcześniej w zlewie pod nadzorem Elwooda i Pete'a. Dwaj pomocnicy wystąpili w roli sekundantów pojedynku, gotowi do podawania kolejnych suchych ścierek w razie potrzeby. W drzwiach kuchni stanęła czujka, na wypadek gdyby przypałętał się kierownik.

Niby nieskłonny do brawury, Elwood miał pewną siebie minę, bo od czterech lat ani razu nie przegrał zawodów w wycieraniu naczyń na czas. Pete tchnął skupieniem. Elwood nie widział w Teksańczyku zagrożenia, bo „przetarł" go we wcześniejszych wyścigach. Słowem Pete był zwykłym nieudacznikiem.

Len policzył od dziesięciu do jednego i zaczęli. Elwood trzymał się metody, którą udoskonalił z biegiem lat, mechanistycznej i delikatnej. Nigdy dotąd nie upuścił ani nie obtłukł mokrego talerza, odstawiając go za szybko na kontuar. Obsługa kuchni skandowała, a Elwood z coraz większym niepokojem patrzył na rosnący stos suchych talerzy po stronie Pete'a. Teksańczyk uzyskał przewagę, miał jakby dodatkowe zasoby sił. Widzowie wydawali z siebie odgłosy zdziwienia. Elwood się uwijał, goniąc za wizją encyklopedii w swoim domu.

– Koniec! – krzyknął Len.

Elwood wygrał jednym talerzem. Mężczyźni wyli i śmiali się, wymieniając wymowne spojrzenia, których sens zrozumiał dopiero później.

Harold, jeden z pomocników, klepnął go w plecy.

– Urodzony do zmywania naczyń, szpenio normalnie.

W kuchni gruchnął śmiech i Elwood włożył z powrotem *A-Be* do pudła. Co za ekskluzywna nagroda.

– Zasłużyłeś – powiedział Pete. – Mam nadzieję, że zrobisz z tego dobry użytek.

Elwood poprosił kierowniczkę służby sprzątającej, aby powiedziała jego babci, że spotkają się w domu. Nie mógł się doczekać jej miny, gdy zobaczy encyklopedię na półce, elegancką i dostojną. Zgarbiony zataszczył pudła na przystanek autobusowy przy Tennessee. Widzieć go wtedy – poważny chłopak dźwigający brzemię światowej wiedzy – to być świadkiem sceny, którą mógłby narysować Norman Rockwell. Oczywiście gdyby Elwood miał białą skórę.

Po powrocie do domu opróżnił z komiksów zieloną biblioteczkę w dużym pokoju i rozpakował pudła. Zatrzymał się przy *Ga*, ciekaw, jak bystrzaki z wydawnictwa poradziły sobie z „galaktyką". Strony były puste – ani jednej zadrukowanej. Wszystkie tomy w pierwszym kartonie okazały się puste, oprócz tego, który Elwood wyjął wcześniej w hotelu. Z wypiekami na twarzy otworzył pozostałe dwa pudła. Nigdzie żadnego tekstu.

Gdy babcia wróciła z hotelu, pokręciła głową i powiedziała, że to może felerne wydanie albo egzemplarze pokazowe, które komiwojażer prezentował potencjalnym klientom jako próbki, żeby widzieli, jak komplet wyglądałby w ich domu. Tej nocy myśli w głowie Elwooda tykały i szumiały jak chronometr. Zaświtało mu, że pomocnik... co tam pomocnik – że wszyscy w kuchni wiedzieli, że tomy są puste. I odegrali przedstawienie.

Mimo to ustawił encyklopedię w biblioteczce. Wyglądała imponująco nawet wtedy, gdy z powodu wilgoci okładki się pofałdowały. Bo skórzana oprawa też była lipna.

Następne popołudnie było jego ostatnim w hotelowej kuchni. Wszyscy zbyt uważnie mu się przyglądali.

– Jak ci się podobają książki? – zakpił Cory i czekał na reakcję.

Stojący przy zlewie Pete miał na twarzy uśmiech jakby wychlastany tępym nożem. Wiedzieli. Babcia zgodziła się, że wnuk jest dostatecznie duży, by zostawać w domu sam. Przez całą szkołę średnią Elwood bił się z myślami, czy zmywacze od początku celowo pozwalali mu wygrywać. Był tak bardzo dumny ze swoich umiejętności, co z tego, że prostych, podstawowych. Do ostatecznych wniosków doszedł dopiero wtedy, gdy wylądował w Miedziaku, bo tam prawdy o rywalizacji nie dało się uniknąć.

# Rozdział drugi

‒ ‒ ‒ ‒ ‒ ‒ ‒ ‒ ‒

Pożegnanie z hotelową kuchnią oznaczało pożegnanie z własną grą, którą utrzymywał w tajemnicy: za każdym razem, gdy otwierały się wahadłowe drzwi jadalni, zakładał się sam ze sobą, czy w środku siedzą czarni klienci. W końcu orzeczeniem Sądu Najwyższego sala jadalna w hotelu Richmond została wyjęta spod zasady segregacji. Gdy wieczorem w radiu podano wyrok, babcia zapiszczała, jakby ktoś wylał na nią gorącą zupę. Opanowała się szybko i wygładziła sukienkę.

‒ Koniec z Jimem Crowem ‒ rzekła. ‒ Z tymi niegodziwymi prawami.

Nazajutrz po ogłoszeniu decyzji sądu wstało słońce i wszystko wyglądało tak samo. Elwood spytał babcię, kiedy Murzyni zaczną się zatrzymywać w hotelu Richmond, a ona odparła, że powiedzieć komuś, że może coś zrobić, to jedno, a skłonić go do zrobienia tego to co innego. Na dowód wyliczyła różne jego zachowania, więc pokiwał głową: może i tak. Prędzej czy później drzwi otworzą się na oścież i ukaże się czarna twarz – wyelegantowany przedsiębiorca z Tallahassee na delegacji służbowej albo szykowna dama zwiedzająca miasto – która będzie się rozkoszować aromatyczną potrawą przygotowaną przez kucharzy. Był tego pewien. Grę tę rozpoczął jako dziewięciolatek, a trzy lata później jedyni kolorowi, których widział w jadalni, nosili talerze, napitki albo mopa. Przestał grać dopiero wtedy, gdy dobiegły końca jego wizyty w hotelu. Pozostało niejasne, czy przeciwnikiem w tej grze była jego własna naiwność, czy ośli upór świata.

Pan Parker nie był jedynym człowiekiem, który widział w Elwoodzie wartościowego pracownika. Biali zawsze składali mu oferty zatrudnienia, dostrzegając jego robotny i stabilny charakter, a przynajmniej dostrzegając, że zachowuje się inaczej niż inni kolorowi chłopcy w jego wieku, i to właśnie brali za sumienność. Pan Marconi, właściciel trafiki przy Macomb Street, obserwował Elwooda, gdy ten był jeszcze skamlącym berbeciem w pordzewiałym wózku. Matka, szczupła kobieta o zmęczonych ciemnych oczach, nigdy nie usiłowała uspokoić dziecka. Kupowała pliki czasopism filmowych i znikała w głębi ulicy, a Elwood zawodził przez całą drogę.

Pan Marconi opuszczał swoje stanowisko przy kasie tylko wtedy, gdy naprawdę musiał. Przysadzisty i spocony, z włosami zaczesanymi do góry i cienkim czarnym wąsikiem, pod wieczór robił się wyraźnie zaniedbany. Powietrze przed sklepem było przesycone wonią jego odżywki do włosów, a w ciepłe popołudnia zostawiał za sobą aromatyczny szlak. Ze swego krzesła pan Marconi obserwował, jak Elwood rośnie i podąża za własną gwiazdą, dystansując się od chłopców z sąsiedztwa, którzy odstawiali różne hece, wszczynali awantury i wsuwali kradzione cuksy do ogrodniczek, bo myśleli, że sklepikarz nie widzi. Widział wszystko, nie mówił nic.

Elwood należał do drugiego pokolenia klientów z Frenchtown. Pan Marconi powiesił swój szyld w 1942 roku, kilka miesięcy po tym, gdy w pobliżu otwarto bazę wojskową. Czarni żołnierze przyjeżdżali autobusami z koszar Gordon Johnston i lotniska Dale Mabry, przez cały weekend urządzali we Frenchtown piekło, po czym wybywali pociągiem na wojnę. Miał krewnych, którzy otworzyli dochodowy interes w śródmieściu, ale to biały, rozumiejący ekonomikę segregacji, robił prawdziwe pieniądze. Trafika Marconiego znajdowała się kilka domów od hotelu Bluebell. Za rogiem był bar Tip Top i salon bilardowy Marybelle. Pan Marconi handlował odpowiedzialnie różnymi tytoniami i puszkami prezerwatyw marki Romeo.

Po wojnie przeniósł cygara na zaplecze, ściany pomalował na biało i dodał półki z prasą i słodyczami oraz lodówkę z napojami gazowanymi, co znacznie podniosło renomę sklepiku. Zatrudnił pomoc. Nie potrzebował pracownika, ale żona lubiła mówić ludziom, że mają personel, a on wyobrażał sobie, że dzięki temu interes wyda się bardziej atrakcyjny w oczach dystyngowanej części populacji Frenchtown.

Elwood miał trzynaście lat, gdy Vincent, wieloletni magazynier pana Marconiego, wstąpił do wojska. Vincent nie należał do najsumienniejszych pracowników pod słońcem, był jednak punktualny i schludny, a te dwie cechy pan Marconi cenił u innych, nawet jeśli nie u siebie. W ostatnim dniu pracy Vincenta Elwood kręcił się przy półce z komiksami, jak prawie każdego popołudnia. Miał osobliwy zwyczaj czytania komiksów od deski do deski, dopiero potem kupował, a kupował każdy, którego dotknął. Pan Marconi spytał go wreszcie, dlaczego ślęczy nad tym tutaj, skoro i tak bierze i płaci, bez względu na to, czy komiks jest dobry.

– Ja się tak upewniam – odpowiedział Elwood.

Sklepikarz spytał go wtedy, czy szuka pracy. Elwood zamknął egzemplarz *Journey into Mystery* i odparł, że musi najpierw porozmawiać z babcią.

Harriet kierowała się w życiu długą listą zasad określających, co jest dopuszczalne, a co nie, czasem zaś jedynym sposobem, aby Elwood się w tym połapał, było popełnienie błędu. Odczekał do końca kolacji, gdy zjedli smażonego suma ze szczawiem, a babcia wstała, żeby posprzątać. Okazało się, że w tym przypadku Harriet nie ma żadnych skrytych obiekcji, pomimo że jej wuj Abe palił cygara i patrz, co się z nim porobiło, pomimo że Macomb Street zyskała reputację wylęgarni zła, pomimo że dziesiątki lat wcześniej źle potraktowana przez pewnego włoskiego sklepikarza, wciąż chowała ciężką urazę.

– On chyba nie jest krewnym tamtego – powiedziała, wycierając ręce. – A jak jest, to dalekim.

Pozwoliła Elwoodowi pracować w trafice po lekcjach i w weekendy, a pod koniec każdego tygodnia zabierała połowę jego wypłaty na dom, a drugą połowę odkładali na college. Poprzedniego lata wspomniał o pójściu do college'u, niezobowiązująco, nieświadomy brzemienności własnych słów. Wprawdzie spór Brown kontra Wydział Oświaty przyniósł nieoczekiwane rozstrzygnięcie, jednak ktoś z rodziny Harriet aspirujący do wyższego wykształcenia był istnym cudem. W obliczu takiej wizji prysły wszelkie obawy związane z pracą u pana Marconiego.

Elwood porządkował gazety i komiksy na drucianych stojakach, wycierał kurz z mniej popularnych słodyczy i pilnował, żeby pudełka z cygarami były ułożone zgodnie z teorią pana Marconiego o „opakowaniu" i o tym, jak ono ekscytuje „szczęśliwą część ludzkiego mózgu". Nadal kręcił się przy komiksach, czytał z przejęciem, jakby w ręce trzymał dynamit, ale to gazety miały teraz dużą siłę przyciągania. Znalazł się pod luksusowym urokiem „Life Magazine". W każdy czwartek duża biała ciężarówka podrzucała plik „Life" – Elwood rozpoznawał dźwięk jej hamulców. Gdy już uporządkował zwroty i nowe egzemplarze, kulił się na stopniu drabiny, żeby śledzić najnowsze wypady dziennikarzy do nieznanych zakątków Ameryki.

Znał udział Frenchtown w walce o prawa Murzynów, dzielnicy granicznej, w której kończyło się jego osiedle, a zaczynało prawo białego człowieka. Ilustrowane zdjęciami artykuły w „Life" wiodły go prosto na linię frontu, do bojkotów autobusowych w Baton Rouge, do okupacji domu towarowego w Greensboro, gdzie inicjatywę przejęli młodzi ludzie, niewiele starsi od niego. Byli bici metalowymi sztabami, polewani wodą ze szlauchów, opluwani przez białe kobiety o wykrzywionych wściekłością twarzach i upamiętniani przez aparaty fotograficzne jako wizerunki szlachetnego oporu. Zdziwienie budziły drobne szczegóły: jakim cudem w wirze tych gwałtownych wydarzeń krawaty młodych mężczyzn pozostały prostymi czarnymi strzałami, a faliste fryzury młodych kobiet prezentowały się nienagannie na tle transparentów z hasłami protestu. Blichtr pomimo krwi zalewającej twarze. Młodzi rycerze śmiało stający przeciw smokom. Elwood był wąski w ramionach i chudy jak wróbel, bał się o swoje okulary, które sporo kosztowały, a także o marzenia, które mogły zostać rozwiane uderzeniem pałki policyjnej, łomu lub kija baseballowego, chciał się jednak przyłączyć. Nie miał wyboru.

Wertując gazety w trakcie zastoju na swojej zmianie, czerpał wzorce, aby stać się człowiekiem, którym chciał się stać, i oddalał się coraz bardziej od typu chłopaka z Frenchtown, którym nie był. Babcia od dawna odciągała go od włóczenia się z kolegami, których uważała za gałganów idących prostą drogą do piekła. Trafika, podobnie jak hotelowa kuchnia, była bezpiecznym schronieniem. Wszyscy wiedzieli, że Harriet surowo wychowuje wnuka, a inni rodzice z Brevard Street pomagali jej utrzymać Elwooda z dala od kłopotów i stawiali go za wzór. Gdy chłopcy, z którymi bawił się wcześniej w Indian i kowbojów, gonili go po ulicy albo rzucali w niego kamieniami, robili to raczej z żalu, nie ze złości.

Ludzie z osiedla co chwila zaglądali do Marconiego, więc dwa światy, w których żył Elwood, wciąż się zazębiały. Pewnego popołudnia zabrzęczał dzwonek nad drzwiami i do środka weszła pani Thomas.

– Dzień dobry – odezwał się Elwood. – Mamy zimną oranżadę.

– No to może skorzystam – odparła.

Znawczyni najświeższych trendów, była tego dnia ubrana w uszytą własnoręcznie sukienkę w groszki, której fason ściągnęła z artykułu o Audrey Hepburn. Zdawała sobie sprawę, że niewiele kobiet z sąsiedztwa potrafi nosić taką kreację z równą pewnością siebie, a gdy zastygała, trudno było ustrzec się podejrzenia, że pozuje, czekając na rozbłysk fleszy.

W latach dorastania pani Thomas przyjaźniła się blisko z Evelyn Curtis. Jednym z najwcześniejszych wspomnień Elwooda było to, gdy w upalny dzień matka trzymała go na kolanach, grając w remika. Mrużył oczy, żeby zobaczyć jej karty, a ona kazała mu siedzieć spokojnie, bo jest skwar. Kiedy wstała i poszła do wychodka, pani Thomas ukradkiem poczęstowała go swoją oranżadą. Zdemaskował ich jego pomarańczowy język i zachichotali, gdy Evelyn po powrocie zganiła oboje bez przekonania. Elwood hołubił to wspomnienie.

Pani Thomas otworzyła torebkę, żeby zapłacić za dwie oranżady i najnowszy „Jet".

– Nadążasz z lekcjami?

– Tak, psze pani.

– Nie przeciążam chłopaka – wtrącił pan Marconi.

– Mhm – skwitowała podejrzliwym tonem. Kobiety z Frenchtown miały złą opinię o trafice z powodu dawnych dni i uważały Włocha za współwinnego domowych nieszczęść. – El, pamiętaj, rób to, co powinieneś.

Zgarnęła sporą resztę i wyszła, odprowadzona wzrokiem przez chłopca. Jego matka zostawiła ich oboje; możliwe, że przysyłała dawnej przyjaciółce widokówki z miejsca swojego pobytu, ale do syna zapominała napisać. Może pewnego dnia pani Thomas podzieli się nowinami.

Pan Marconi miał w ofercie „Jet" i oczywiście „Ebony". Elwood namówił go do wzięcia „The Crisis" i „The Chicago Defender", a także innych czasopism dla czarnych. Babcia i jej przyjaciółki prenumerowały te tytuły, więc wydawało mu się dziwne, że trafika ich nie sprzedaje.

– Masz rację, weźmiemy – zgodził się pan Marconi. Przygryzł wargę. – Chyba kiedyś to mieliśmy. Nie wiem, co się stało.

– No to fajnie – powiedział Elwood.

Jeszcze długo po tym, gdy pan Marconi przestał czepiać się nabywczych zwyczajów swoich stałych klientów, chłopak pamiętał, co sprowadzało każdego z nich do sklepu. Jego poprzednik Vincent od czasu do czasu ożywiał przestrzeń sprośnym żartem, ale nie można powiedzieć, żeby wykazywał inicjatywę. Elwood zaś miał jej w nadmiarze, przypominał więc panu Marconiemu, który dostawca tytoniu orżnął ich przy ostatniej dostawie i których słodyczy nie warto już zamawiać. Sklepikarz z trudem rozróżniał czarne damy z Frenchtown – wszystkie robiły chmurne miny na jego widok – więc to Elwood okazał się kompetentnym rzecznikiem trafiki. Pan Marconi patrzył na chłopaka, zatopionego w lekturze czasopism, i zastanawiał się, co go nakręca. Babcia mu nie pobłażała, to jasne. Elwood był inteligentny i pracowity, chluba swojej rasy. Zarazem okazywał się mało rozgarnięty, gdy chodziło o najprostsze sprawy. Nie wiedział, kiedy zrobić krok do tyłu i odpuścić. Weźmy tę historię z podbitym okiem.

Dzieciaki podwędzały słodycze. Bez względu na kolor skóry. W latach swojej rozbuchanej młodości pan Marconi też popełnił niejedno głupstwo. Tu i tam straci się parę groszy, ale przecież wliczone jest to w koszty ogólne – smarkacz podpieprzy dziś lizaka, jednak on i jego koledzy od lat wydają pieniądze w trafice. I jego rodzice też. No bo co, przepędzisz takiego ze sklepu za podobną duperelę, to słowo rozniesie się po okolicy, zwłaszcza takiej jak ta, gdzie wszyscy wiedzą wszystko o wszystkich, no i rodzice przestaną przychodzić, bo poczują się zawstydzeni. Dla pana Marconiego przymykanie oka na drobne kradzieże było prawie jak inwestycja.

Elwood skłaniał się ku innej perspektywie. Zanim zatrudnił się u pana Marconiego, jego koledzy chwalili się „skokami" na słodycze, rechocząc i robiąc balony z różowej gumy do żucia, gdy już oddalili się od sklepu na sporą odległość. Elwood nie dołączał do nich, ale też nigdy nie budziło to w nim silnych odczuć. Przyjmując go do pracy, pan Marconi wyjaśnił swoje stanowisko wobec lepkich palców oraz pokazał, gdzie jest mop i w które dni należy oczekiwać dużych dostaw. Z biegiem miesięcy Elwood widział, jak słodycze znikają w kieszeniach chłopaków. Chłopaków, których znał. Mrugających porozumiewawczo, jeśli złowił ich spojrzenie. Przez cały rok nie mówił nic. Ale nie zdołał się pohamować tego dnia, gdy Larry i Willie capnęli dropsy o smaku cytrynowym, bo pan Marconi akurat pochylił się za ladą.

– Odłóżcie to.

Zastygli. Znali Elwooda od urodzenia. Grali razem w kulki i bawili się w berka, gdy byli mali, choć to się skończyło, kiedy Larry rozpalił ogień na pustej parceli przy Dade Street, a Willie nie zdał dwa razy do następnej klasy. Harriet skreśliła obu z listy akceptowanych kolegów. Te trzy rodziny od pokoleń mieszkały we Frenchtown. Babcia Larry'ego należała do tego samego zboru co Harriet, a ojciec Williego był w dzieciństwie kumplem ojca Elwooda. Razem wyjechali do wojska. Ojciec Williego codziennie wysiadywał w wózku inwalidzkim na ganku, paląc fajkę. Machał ręką, ilekroć Elwood przechodził w pobliżu.

– Oddajcie to – powtórzył chłopak.

Pan Marconi przekrzywił głowę: starczy tego. Tamci położyli cukierki z powrotem na miejsce i wściekli wyszli ze sklepu.

Znali trasę Elwooda. Czasem, gdy w drodze do domu przejeżdżał na rowerze pod oknem Larry'ego, drwili, że jest świętoszkiem. Dopadli go jeszcze tego samego wieczoru. Właśnie się zmierzchało i zapach magnolii mieszał się z ostrą wonią smażonej wieprzowiny. Wtarli go z rowerem w nowy asfalt, który władze okręgu położyły tej zimy. Podarli mu sweter, okulary rzucili na jezdnię. Bijąc Elwooda, Larry spytał go, czy naprawdę ma pusty łeb, a Willie stwierdził, że muszą dać mu nauczkę, więc zabrali się do roboty. Chłopak dostał parę mocnych fang tu i tam, nie ma co gadać. Nie rozpłakał się. Gdy natrafiał w dzielnicy na dwóch bijących się dzieciaków, lubił interweniować i studzić emocje. Teraz sam został wybawiony z opresji. Starszy mężczyzna z naprzeciwka przerwał awanturę i spytał Elwooda, czy chce się umyć albo napić wody. Chłopak odmówił.

Pękł łańcuch, więc wrócił z rowerem na piechotę. Harriet spytała o podbite oko, ale nie drążyła. Pokręcił głową. Rano siny guz podszedł krwią.

Elwood musiał przyznać, że Larry miał rację: od czasu do czasu wydawało się, że brak mu rozumu. Nie potrafił tego wyjaśnić, nawet samemu sobie, aż wreszcie posłużył się językiem z *Zion Hill*: „Musimy wierzyć we własną duszę, w to, że jesteśmy kimś, że się liczymy, że jesteśmy wartościowymi ludźmi; musimy kroczyć po ścieżkach życia z godnością, z tym poczuciem bycia kimś". Płyta kręciła się w kółko, jak argument, który zawsze powraca do swojej niepodważalnej przesłanki. Słowa doktora Kinga wypełniały duży pokój w „śrutówce". Elwood skłaniał się ku jakiemuś kodeksowi postępowania – doktor King nadał temu kodeksowi kształt, wymowę i sens. Są wielkie siły, które wciąż pragną ciemiężyć Murzyna, takie jak Jim Crow, są też małe siły, które go ciemiężą, takie jak inni ludzie, i w obliczu tego wszystkiego, tych wielkich i tych małych, należy stanąć dumnie z poczuciem tego, kim się jest. Encyklopedia okazała się pusta. Są ludzie, którzy cię oszukają i z uśmiechem dostarczą pustkę, a inni odrą cię z godności. Należy pamiętać, kim się jest.

„Poczucie godności". To, jak King wypowiedział te słowa, wśród trzasków i reszty – z niezaprzeczalną mocą. Nieważne, że po zmroku konsekwencje czyhają na ciebie w zaułku, gdy wracasz do domu. Pobili go i podarli mu ubranie – nie rozumieli, dlaczego chciał bronić interesów białego człowieka. Jak miał im wytłumaczyć, że ich występek przeciwko panu Marconiemu był także obrazą dla niego? Obojętne, czy to lizak, czy komiks. Nie dlatego, że każda napaść na bliźniego jest napaścią na mnie, jak mówią w kościele, ale dlatego, że nie reagować oznaczało podkopywać własną godność. I nieważne, że pan Marconi powtarzał, że go to nie obchodzi, nieważne, że Elwood nie mówił dotąd słowa, gdy koledzy kradli w jego obecności. To nie miało znaczenia dopóty, dopóki nie nabrało fundamentalnego znaczenia.

Taki był Elwood – dobry jak każdy. W dniu aresztowania, tuż przed przybyciem zastępcy szeryfa, w radiu reklamowali wesołe miasteczko. Zanucił do wtóru. Przypomniał sobie, że Yolanda King miała sześć lat, gdy ojciec powiedział jej prawdę o lunaparkach i porządku białego człowieka, zmuszającym dziewczynkę do oglądania wszystkiego zza ogrodzenia. Zerkała ukradkiem do innego świata. Elwood też miał sześć lat, gdy jego rodzice porzucili dom, i uznał, że to kolejna więź łącząca go z dziewczynką, bo właśnie w tym wieku przebudził się na świat.

# Rozdział trzeci

-- -- -- -- -- -- --

Pierwszego dnia nowego roku szkolnego uczniowie Lincoln High School dostawali używane podręczniki z liceum dla białych po drugiej stronie ulicy. Wiedząc, dokąd trafią książki, dotychczasowi właściciele pisali w nich przesłania dla nowych: „Udław się, czarnuchu", „Śmierdzisz, gównozjadzie". Dla białej młodzieży w Tallahassee wrzesień był niczym samouczek najnowszych obelg, które, podobnie jak długość spódnicy i fryzura, zmieniały się co roku. Upokarzające było otworzenie podręcznika do biologii na stronach z układem trawiennym i nadzianie się na: „Żebyś zdechł, CZARNUCHU", ale w miarę trwania roku szkolnego uczniowie Lincoln High School przestawali zauważać obelgi i chamskie sugestie. Jak mógłbyś przetrwać dzień, skoro byle wyzwisko miałoby odebrać ci chęć do życia?

Historyk, pan Hill, zaczął pracować w szkole, gdy Elwood zdał do trzeciej klasy. Przywitał się z uczniami i napisał swoje nazwisko na tablicy. Następnie rozdał czarne flamastry i powiedział, że w pierwszej kolejności powinni zamazać wszystkie brzydkie słowa w podręcznikach.

– Zawsze się wściekam, gdy widzę coś takiego – wyznał. – Staracie się zdobyć wykształcenie, więc nie ma sensu znosić tego, co powypisywali ci głupcy.

Podobnie jak pozostali uczniowie, Elwood zabrał się do tego z wahaniem. Popatrzyli na podręczniki, potem na nauczyciela. Elwood poczuł zawrót głowy. Serce zabiło mu mocno: co za przygoda. Dlaczego nikt wcześniej nie kazał im tego zrobić?

– Tylko nie przeoczcie niczego – upomniał ich pan Hill. – Te białe dzieciaki są przebiegłe.

Uczniowie zamazywali przekleństwa i obelgi, a on opowiadał im o sobie. Był nowy w Tallahassee, niedawno skończył studia pedagogiczne w Montgomery. Pierwszy raz zjawił się na Florydzie poprzedniego lata, gdy wysiadł z autokaru relacji Waszyngton–Tallahassee jako Jeździec Wolności. Brał udział w marszach. Okupował zakazane bufety, czekając uparcie na obsłużenie.

– Przyswoiłem sporo materiału z kursów, kiedy nie mogłem się doczekać swojej kawy – powiedział.

Szeryfowie wtrącili go do aresztu za zakłócanie spokoju. Relacjonował te historie niemal znudzonym tonem, jakby to, co zrobił, było najnaturalniejszą rzeczą pod słońcem. Elwood zastanawiał się, czy może widział go na łamach

„Life" albo „Defendera", ręka w rękę z największymi przy-
wódcami ruchu, a może w tle, z anonimowymi uczestnika-
mi wyprężonymi w poczuciu dumy.

Pan Hill zgromadził dużą kolekcję muszek – w groszki, jaskrawoczerwonych, bananowych. Półkolista blizna
nad prawym okiem – pamiątka po ciosie łomem zadanym
przez białego mężczyznę – nadawała jego szerokiej życzli-
wej twarzy jeszcze większą życzliwość.

– To z Nashville – odpowiedział, gdy pewnego popołudnia ktoś go spytał, i ugryzł gruszkę.

Klasa skupiła się na historii Stanów Zjednoczonych po
wojnie secesyjnej, ale przy każdej sposobności pan Hill zabierał uczniów do czasów współczesnych; łączył wydarze-
nia sprzed stu lat z obecnym życiem. Na początku każdej
lekcji wyruszali na wędrówkę, a droga zawsze prowadziła
na próg ich domów.

Pan Hill zorientował się, że Elwooda fascynuje walka
o równouprawnienie, i posyłał mu kwaśny uśmiech, ilekroć chłopak wtrącał swoje trzy grosze. Pozostali przed-
stawiciele ciała pedagogicznego Lincoln High School od
dawna poważali chłopca, doceniając jego powściągliwy
temperament. Ci, którzy wiele lat wcześniej uczyli jego
rodziców, z trudem potrafili włożyć go w ramki – nosił
nazwisko swego ojca, ale nie miał za grosz diabolicznego
uroku Percy'ego ani niepokojącej posępności Evelyn. Każdy nauczyciel był wdzięczny za wkład Elwooda do lekcji,

gdy reszta klasy już przysypiała od popołudniowego upału, chłopak zaś podrzucał „Archimedesa" albo „Amsterdam" w kluczowym momencie. Biedak miał jeden tom encyklopedii nadający się do użytku, więc go używał, co innego mógł robić? Lepsze to niż nic. Skakał po stronach, zaginał rogi, wracał do ulubionych haseł, jakby to były historie przygodowe. Jako opowieść encyklopedia była rwana i niepełna, ale mimo to na swój sposób ekscytująca. Elwood zapełniał zeszyt najlepszymi fragmentami, definicjami i etymologią. Później takie łatanie uznał za żałosne.

Był naturalnym kandydatem pod koniec pierwszej klasy, gdy potrzebowali nowego głównego aktora do sztuki wystawianej w Dniu Wyzwolenia. Wcielenie się w rolę Thomasa Jacksona, człowieka, który obwieszcza niewolnikom w Tallahassee, że są wolni, było ćwiczeniem się w roli samego siebie, mieszkającego w głębi ulicy. Elwood obdarzył postać tą samą gorliwością, jaką wkładał w wypełnianie wszystkich swoich obowiązków. W sztuce Thomas Jackson ścinał trzcinę cukrową na plantacji, a potem uciekł, żeby na początku wojny wstąpić do armii unionistów, i do domu wrócił jako mąż stanu. Każdego roku Elwood opracowywał nowe modulacje głosu i gesty, a wygłaszane mowy przestały być drętwe, bo graną postać ożywiały jego własne przekonania.

„Z przyjemnością informuję szlachetnych panów i panie, że nadeszła pora, byśmy zrzucili jarzmo niewolnictwa i zajęli przyrodzone nam miejsce jako prawdziwi Amerykanie – nareszcie!"

Autorka sztuki, nauczycielka biologii, usiłowała przywołać magię ze swojej jedynej podróży na Broadway, dawno temu.

W ciągu trzech lat, gdy Elwood występował w tym dramacie, jedynym stałym elementem było jego zdenerwowanie w punkcie kulminacyjnym – kiedy Jackson musiał pocałować w policzek swoją ukochaną. Mieli się pobrać i jak dawano do zrozumienia, wieść szczęśliwe, dzieciate życie w nowym Tallahassee. Bez względu na to, czy Marie-Jean grała Anne, z piegami i słodką buzią jak księżyc, czy Beatrice, której królicze zęby wbijały się w dolną wargę, czy – w ostatnim przedstawieniu – Gloria Taylor, trzydzieści centymetrów od niego wyższa, przez co musiał się prężyć, gula niepokoju dławiła mu pierś i doznawał zawrotu głowy. Wszystkie godziny spędzone w „bibliotece" Marconiego stanowiły przygrywkę do trudnych przemówień, ale nie przygotowały go należycie do występowania w towarzystwie czarnych piękności Lincoln High – na scenie i poza nią.

Ruch walki o równe prawa, o którym czytał i marzył, był daleko – ale zaczął podpełzać coraz bliżej. Frenchtown też protestowało, lecz Elwood był za młody, żeby się przyłączyć. Miał dziesięć lat, gdy dwie dziewczyny z Uniwersytetu Rolniczo-Mechanicznego zainicjowały bojkot autobusowy. Z początku babcia nie rozumiała, dlaczego chcą ściągnąć te awantury do miasta, ale po kilku dniach dołączyła do wspólnego wożenia się samochodami do pracy jak inni.

– Wszyscy w okręgu Leon powariowali – stwierdziła. – Ja też!

Tej zimy autobusy w mieście objęto w końcu integracją, więc wsiadła. Zobaczyła kolorowego kierowcę i zajęła miejsce tam, gdzie miała ochotę.

Elwood pamiętał, że cztery lata później, gdy studenci wpadli na pomysł, żeby okupować bufet w domu towarowym Woolworths, babcia zachichotała aprobująco. Przeznaczyła nawet pięćdziesiąt centów na adwokatów po tym, jak tamci zostali aresztowani przez policję. Kiedy demonstracje przygasły, nadal bojkotowała śródmiejskie sklepy, choć nie wiadomo, w jakim stopniu wynikało to z solidarności, a w jakim było protestem przeciw wysokim cenom. Wiosną 1963 roku gruchnęła pogłoska, że studenci chcą pikietować przed Florida Theatre, żeby był dostępny dla wszystkich. Elwood miał wszelkie powody sądzić, że babcia będzie z niego dumna, bo się zaangażował.

Mylił się. Harriet Johnson była małym kolibrem w kobiecej skórze i do wszystkiego zabierała się z wściekłą determinacją. Jeśli coś było warte zrobienia – praca, posiłek, rozmowa z innym człowiekiem – należało to zrobić z całą powagą albo nie robić w ogóle. Pod poduszką trzymała maczetę do ścinania trzciny cukrowej na wypadek włamywaczy, ale Elwood nie potrafił sobie wyobrazić, że ta drobna kobietka boi się czegokolwiek. Jednak to właśnie strach ją napędzał.

Owszem, Harriet dołączyła do bojkotu autobusów. Musiała, nie mogła przecież być jedyną kobietą we Frenchtown korzystającą z transportu publicznego. Lecz dygotała za każdym razem, gdy Slim Harrison podjeżdżał swoim cadillakiem rocznik 57, a ona wciskała się na tył, wraz z innymi paniami jadącymi do śródmieścia. Gdy zaczęło się pikietowanie, była wdzięczna, że nikt nie oczekuje od niej publicznych gestów. Pikiety były sprawą młodych, nie miała do tego serca. Jak chcesz się wywyższać, drogo za to zapłacisz. Harriet płaciła – obojętnie, czy był to Pan Bóg rozzłoszczony, że chciała wziąć więcej, niż jej przysługiwało, czy biały człowiek dający jej nauczkę, żeby nie prosiła o więcej okruchów z pańskiego stołu, niż miał ochotę jej dać. Jej ojciec też zapłacił – za to, że nie zszedł z drogi białej damie na Tennessee Avenue. Jej mąż Monty także zapłacił, gdy się postawił. Percy, ojciec Elwooda, w trakcie służby wojskowej nabił sobie głowę tak wieloma różnymi pomysłami, że kiedy wrócił, nie było dla niego miejsca w Tallahassee. A teraz Elwood. Kupiła tę sakramencką płytę Martina Luthera Kinga od handlarza przed hotelem Richmond, za dziesięć centów, i było to najgorzej wydane dziesięć centów w jej życiu. Ta płyta to takie same pomysły.

Ciężka praca była fundamentalną cnotą, bo ciężka praca nie pozostawiała czasu na marsze i pikiety. Elwood nie podbije świata, mieszając się do tej awantury przed kinem, stwierdziła.

– Obiecałeś panu Marconiemu, że po lekcjach będziesz mu pomagał w sklepie. Jeśli twój szef nie może na tobie polegać, to stracisz pracę.

Obowiązkowość go ochroni, tak jak ochroniła ją.

Świerszcz pod domem wszczynał rejwach. Od tak dawna hałasował, że powinien się dokładać do czynszu. Elwood podniósł wzrok znad podręcznika i odrzekł:

– No dobrze.

Nazajutrz poprosił pana Marconiego o dzień wolny. Dotąd przechorował tylko dwa dni i oprócz nich oraz tych, kiedy odwiedzał rodzinę, w ciągu trzech lat nigdy nie opuścił pracy.

Jasne, rzucił pan Marconi. Nawet nie podniósł wzroku znad kuponu wyścigów konnych.

Elwood wystroił się w czarne spodnie z zeszłorocznego Dnia Wyzwolenia. Urósł trochę, więc odwinął mankiety, ale i tak widać było cienki paseczek białych skarpetek. Nowa szmaragdowa spinka utrzymywała czarny krawat na właściwym miejscu, a z węzłem uporał się już przy szóstej próbie. Buty wypucował na wysoki połysk. Wyglądał bez zarzutu, ale wciąż bał się o okulary, gdyby policja nadjechała z pałkami. Albo biali przynieśli łomy i kije baseballowe. Przegonił z głowy krwawe sceny z gazet i czasopism i wepchnął koszulę w spodnie.

Gdy dotarł do stacji benzynowej Esso przy Monroe, usłyszał skandowanie.

– Czego chcemy?! Wolności! Kiedy jej chcemy?! Teraz!

Studenci z Uniwersytetu Rolniczo-Mechanicznego maszerowali w przeplatających się kręgach przed Florida Theatre, podnosząc transparenty i wywijając hasłami. W kinie pokazywano *Spokojnego Amerykanina* – jeśli miało się siedemdziesiąt pięć centów i odpowiedni kolor skóry, można było zobaczyć Marlona Brando. Szeryfowie z zastępcami, w ciemnych okularach, z rękami skrzyżowanymi na piersi, zajęli pozycję na chodniku. Za ich plecami drwiła i szydziła grupa białych, a ulicą truchtały posiłki. Ze spuszczonym wzrokiem Elwood ominął ten tłum i wślizgnął się w rząd demonstrantów, tuż za starszą dziewczynę w pasiastym swetrze. Uśmiechnęła się i kiwnęła mu głową, jakby na niego czekała.

Po dołączeniu do ludzkiego łańcucha od razu się uspokoił i zaczął poruszać ustami razem z innymi. RÓWNE PRAWA DLA WSZYSTKICH. A gdzie jego transparent? Skupiony na należytym wyglądzie, zapomniał o rekwizytach. Nie mógł niczym dorównać idealnym dziełom spod szablonów. Mieli wprawę. NASZĄ STRATEGIĄ BIERNY OPÓR. ZWYCIĘŻYMY MIŁOŚCIĄ. Niski chłopak z ogoloną głową wymachiwał słowami: JESTEŚ SPOKOJNYM

AMERYKANINEM? – w morzu pytajników z kreskówek.

Ktoś chwycił Elwooda za ramię. Pomyślał, że zobaczy spadający na niego klucz francuski, ale to był pan Hill. Nauczyciel historii zaprosił go do grupy czwartoklasistów Lincoln High. Bill Tuddy i Alvin Tate, dwaj zawodnicy szkolnej drużyny koszykówki, uścisnęli mu dłoń. Wcześniej go nie zauważali. Swoje marzenia o ruchu Elwood trzymał tak głęboko w sobie, że nie przyszło mu do głowy, że w szkole są inni, którzy też odczuwają potrzebę podjęcia walki.

W następnym miesiącu policja aresztowała ponad dwustu demonstrantów, oskarżając ich o lekceważenie prawa i łapiąc za kołnierze w kłębach gazu łzawiącego, ale pierwsza manifestacja przebiegła bez incydentów. Wtedy do studentów z Uniwersytetu Rolniczo-Mechanicznego dołączyli ci z Politechniki Melvina Griggsa. Biali z Uniwersytetu Florydzkiego i Uniwersytetu Stanowego. Wytrawni gracze z Kongresu Równości Rasowej. Młodzi i starzy biali wrzeszczeli na nich, lecz to nie miało znaczenia. Elwood nie słyszał okrzyków, gdy pedałował na rowerze ulicą. Jeden z poczerwieniałych białych chłopaków wyglądał jak Cameron Parker, syn kierownika hotelu Richmond, i dalszy obrót spraw potwierdził trafność skojarzenia. Kilka lat wcześniej wymieniali się komiksami w zaułku za hotelem. Cameron nie rozpoznał Elwooda. Flesz fotograficzny błysnął chłopakowi przed nosem, aż ten podskoczył. Reporter był z „Register", czasopisma, którego babcia nie czytała, ponieważ relacje z konfliktu rasowego były przedstawiane jednostronnie. Studentka w obcisłym swetrze podała Elwoodowi transparent z hasłem: JESTEM CZŁOWIEKIEM, a gdy demonstranci ruszyli do State Theatre, uniósł go nad głowę i dołączył do dumnego chóru. W kinie pokazywano *Dzień inwazji Marsa na Ziemię*. Elwood miał wrażenie, że tego dnia pokonał sto tysięcy kilometrów.

Trzy dni później babcia postawiła go przed swoim obliczem – ktoś z jej znajomych widział go w akcji i tak się dowiedziała. Minęło dużo lat, odkąd przyłożyła mu pasem ostatni raz, i sporo urósł od tego czasu, więc teraz posłużyła się starym dobrym sposobem rodziny Johnsonów, sięgającym okresu rekonstrukcji, a więc urągliwym milczeniem wywołującym w winowajcy głębokie poczucie unicestwienia. Wprowadziła zakaz używania gramofonu i świadoma buntowniczości nowego pokolenia czarnych smarkaczy, przeniosła sprzęt do sypialni i przykryła go cegłami. Teraz oboje cierpieli w ciszy.

Po tygodniu życie w domu wróciło do normalności, ale w Elwoodzie zaszła zmiana. Zbliżył się. Podczas demonstracji poczuł się bliżej siebie. Na moment. Tam na słońcu. Wystarczyło, żeby zasilić jego marzenia. Gdy dostanie się na studia i wyprowadzi z wąskiej i długiej rodzinnej „śrutówki", zacznie żyć naprawdę. Zacznie zapraszać dziewczyny do kina – skończył ze wstrzemięźliwością na tym froncie – i wytyczy sobie ścieżkę edukacyjną. Znajdzie swoje miejsce wśród aktywnej rzeszy młodych marzycieli, którzy poświęcili się emancypacji czarnej rasy.

To ostatnie lato w Tallahassee upłynęło szybko. Na koniec roku szkolnego pan Hill podarował mu *Notatki syna swego kraju* Jamesa Baldwina. Umysł Elwooda się burzył. „Murzyni są Amerykanami, a ich przeznaczenie jest przeznaczeniem tego kraju". Przed Florida Theatre demonstrował nie po to, żeby bronić swoich praw czy praw czarnej rasy, do której należał; demonstrował w obronie praw wszystkich, nawet tych, którzy próbowali go zakrzyczeć. Moja walka to twoja walka, twoje brzemię jest moim brzemieniem. Ale jak to ludziom powiedzieć? Do późnej godziny pisał listy na temat kwestii rasowych do redakcji „Tallahassee Register", ale gazeta ich nie opublikowała, oraz do „The Chicago Defender", a tam wydrukowali jeden. „Pytamy starsze pokolenie: czy przyłączycie się do naszej walki?" Zawstydzony, nikomu o tym nie powiedział, pisał pod pseudonimem Archer Montgomery. Brzmiało to oficjalnie i inteligentnie i dopiero gdy zobaczył to czarno na białym pod wydrukowanym tekstem, uświadomił sobie, że wykorzystał nazwisko swojego dziadka.

W czerwcu pan Marconi został dziadkiem, a był to moment przełomowy, który odsłonił we Włochu inne oblicza. Sklepikarz zamienił trafikę w witrynę dobrodusznego entuzjazmu. Długie chwile milczenia ustąpiły miejsca lekcjom życiowym, wywiedzionym z jego emigranckich trudów, i ekscentrycznym radom w kwestiach biznesu. Zaczął zamykać godzinę wcześniej, żeby odwiedzać wnuczkę, ale Elwoodowi płacił za pracę w pełnym wymiarze godzin. Chłopak szedł wtedy na boisko do koszykówki, żeby zobaczyć, czy ktoś gra. Zawsze tylko patrzył, ale udział w demonstracji trochę go ośmielił, więc zawarł kilka znajomości przy linii autowej, z kolesiami mieszkającymi dwie ulice dalej, których widywał od lat, ale z którymi nigdy nie zamienił słowa. Czasami wypuszczał się do śródmieścia z Peterem Coombsem, chłopakiem z sąsiedztwa, którego Harriet akceptowała, ponieważ grał na skrzypcach i dzielił z jej wnukiem zamiłowanie do książek. Jeśli Peter akurat nie ćwiczył, krążyli po sklepach z płytami i ukradkiem sprawdzali okładki longplayów, których nie wolno im było kupić.

– Dynasound, co to? – spytał Peter.

Nowy gatunek muzyki? Nowy sposób słuchania? Byli zbici z tropu.

Raz na jakiś czas, w upalne popołudnia, do trafiki wpadały na wodę sodową dziewczęta z Uniwersytetu Rolniczo-Mechanicznego, uczestniczki demonstracji przed kinem. Elwood wypytywał je o protesty, a one rozpromieniały się w poczuciu wspólnoty, udając, że go rozpoznają. Niejedna powiedziała, że sądziła, że Elwood studiuje. Ich komentarze odbierał jako komplementy, ozdoby do przystrojenia jego własnych marzeń o wyjeździe w świat. Optymizm nadał

Elwoodowi taką plastyczność, jakby był jedną z tych tanich ciągutek trzymanych pod kasą. Czuł się gotowy, gdy w lipcu do sklepu przyszedł pan Hill z pewną sugestią.

W pierwszej chwili Elwood go nie poznał. Brak kolorowej muszki, pomarańczowa koszula w kratę rozpięta na podkoszulku, bajeranckie okulary przeciwsłoneczne – pan Hill wyglądał jak człowiek, który od miesięcy, nawet nie tygodni, ani razu nie pomyślał o pracy. Byłego ucznia powitał z nieśpieszną swobodą kogoś, kto ma wolne całe wakacje. Powiedział Elwoodowi, że to pierwsze lato od dawna, kiedy nie podróżuje.

– Tutaj też jest zajęcie – oznajmił, ruchem głowy wskazując chodnik.

Na zewnątrz czekała na niego młoda kobieta w słomianym kapeluszu z opadającym rondem, wiotką dłonią osłaniając oczy przed słońcem.

Elwood spytał, czy może mu w czymś pomóc.

– Przyszedłem się z tobą zobaczyć – odparł nauczyciel. – Znajomy powiedział mi o pewnej sposobności, która się nadarzyła, i z mety pomyślałem o tobie.

Pan Hill miał towarzysza pośród Jeźdźców Wolności, profesora, który znalazł pracę na Politechnice Melvina Griggsa, uczelni dla kolorowych, tuż za południowymi rogatkami Tallahassee. Wykładał literaturę angielską i amerykańską, właśnie skończył zajęcia z trzecim rokiem. Politechniką dotąd źle zarządzano, nowy rektor próbował to naprawić. Od pewnego czasu tamtejsze kursy były otwarte dla prymusów ze szkół średnich, ale miejscowe rodziny nie miały o tym pojęcia. Rektor kazał zająć się sprawą właśnie temu przyjacielowi, a on zagadnął pana Hilla: może jest w Lincoln High School paru łebskich dzieciaków, które mogą być zainteresowane?

Elwood zacisnął dłonie na kiju od miotły.

– Wygląda to bardzo fajnie, ale nie wiem, czy mamy pieniądze na takie zajęcia – odpowiedział.

Zaraz potem pokręcił głową. Przecież oszczędzał właśnie z myślą o uczelni wyższej, więc co za różnica, czy zapisze się na coś takiego, gdy jest jeszcze uczniem Lincoln?

– Ale chodzi właśnie o to, że są za darmo. Przynajmniej przez jesień, bo chcą, żeby to się rozniosło wśród mieszkańców.

– Będę musiał spytać babci.

– Jasne, spytaj. Ja też mogę z nią porozmawiać. – Pan Hill położył chłopakowi dłoń na ramieniu. – Najważniejsze, że to idealna szansa dla takiego młodego człowieka jak ty. Wymyślili to właśnie dla osób twojego pokroju.

Później tego samego popołudnia, goniąc natrętną tłustą muchę po sklepie, Elwood pomyślał, że w Tallahassee nie ma chyba zbyt dużo białych dzieciaków, które studiują na poziomie uniwersyteckim. „Ten, który jest w tyle stawki, musi biec szybciej niż ten przed nim albo na zawsze pozostanie w ogonie".

Propozycja pana Hilla nie wzbudziła w Harriet żadnych obaw – wyrażenie „za darmo" było magicznym zaklęciem. Odtąd lato płynęło Elwoodowi tak powoli jak żółw w błocie. Przyjaciel pana Hilla uczył literatury angielskiej, więc chłopak uznał, że musi się zapisać właśnie na te zajęcia, i nawet gdy się okazało, że ma wolny wybór, pozostał przy swojej decyzji. Przegląd dokonań brytyjskich pisarzy nie zawiera nic praktycznego, zauważyła babcia, ale on po zastanowieniu się doszedł do wniosku, że na tym polega cały urok. Od dawna był przesadnie praktycznym człowiekiem.

Może podręczniki na uczelni są nowe? Niepomazane. Nie trzeba będzie zasmarowywać. To możliwe.

Dzień przed pierwszymi zajęciami na uczelni pan Marconi przywołał go do kasy. Elwood miał opuszczać czwartkowe zmiany, żeby chodzić na zajęcia. Sądził, że szef chce się upewnić, że wszystko będzie w porządku pod jego nieobecność. Włoch odchrząknął i przesunął aksamitne etui w jego stronę.

– To do nauki – powiedział.

W środku było ciemnogranatowe pióro wieczne z mosiężnym wykończeniem. Bardzo ładny prezent, nawet jeśli pan Marconi dostał upust, bo był stałym klientem tej firmy artykułów piśmiennych. Uścisnęli sobie dłonie po męsku.

Babcia Harriet życzyła mu powodzenia. Codziennie rano sprawdzała jego wyjściowe ubranie, aby mieć pew-

ność, że będzie się dobrze prezentował, ale oprócz strzep-
nięcia tu i ówdzie paproszka nie wprowadziła żadnych
korekt. Dzień nie różnił się od innych.

– Elegant z ciebie, El – pochwaliła.

Pocałowała go w policzek, po czym ruszyła na przystanek autobusowy, kuląc ramiona, jak to robiła zawsze, gdy
nie chciała się przy nim rozpłakać.

Elwood miał mnóstwo czasu między lekcjami a zajęciami na uczelni, ale tak mu się śpieszyło, by po raz pierwszy
w życiu zobaczyć Melvin Griggs, że wybrał się tam wcześniej. Łańcuch w rowerze pękał przy dłuższej jeździe, od
kiedy tamtego wieczoru, gdy podbito mu oko, trzasnęły
dwa nity. Złapie autostop albo przemaszeruje te jedenaście
kilometrów. Wejdzie przez bramę i rozejrzy się po kampu-
sie, zagubi pośród tych wszystkich budynków lub po prostu usiądzie obok dziedzińca i napełni płuca tamtejszym
powietrzem.

Czekał przy Old Bainbridge na jakiegoś kolorowego
kierowcę jadącego w stronę stanówki. Przemknęły dwa
pick-upy, a potem pojawił się i zwolnił jaskrawozielony
plymouth fury rocznik 61, niski, z płetwami jak gigantyczny sum. Kierowca przechylił się i otworzył drzwi od strony
pasażera.

– Walę na południe – powiedział.

Gdy Elwood wślizgnął się do środka, zaskrzypiało biało-zielone winylowe siedzenie.

– Jestem Rodney – przedstawił się kierowca.

Był rozłożysty, ale zbitej budowy ciała, jak murzyńska wersja Oddjoba z filmu *Goldfinger*. Popielaty garnitur w fioletowe prążki dopełniał obrazu. Gdy ściskali sobie dłonie, Elwood się skrzywił, bo sygnety na palcach Rodneya wbiły mu się w skórę.

– Elwood.

Wsunął swoją torbę między nogi i zerknął na kosmiczną deskę rozdzielczą plymoutha, pełną przycisków sterczących ze srebrnych oprawek.

Ruszyli na południe w kierunku szosy 636. Rodney popukał niezobowiązująco w radio.

– Coś mi opornie działa. Może ty spróbuj.

Elwood powciskał klawisze i wyłowił radiostację z rhythm and bluesem. Niewiele brakowało, a zmieniłby pasmo, ale babci Harriet nie było w pobliżu, żeby utyskiwać na podwójne znaczenie słów w piosenkach. Jej interpretacje zawsze budziły w nim zdziwienie i wątpliwości. Zostawił dostrojoną stację, grała kapela doowopowa. Rodney używał tej samej odżywki do włosów co pan Marconi. Kabinę wypełniły cierpka woń i zaduch. Nawet w wolnym dniu Elwood nie mógł od tego uciec.

Rodney wracał od matki, która mieszkała w Valdoście. Powiedział, że nie słyszał wcześniej o uczelni Melvin Griggs, co nadwątliło dumę Elwooda z powodu tego ważnego dnia.

– Studia – mruknął Rodney. Zagwizdał przez zęby. – Jak miałem czternaście lat, zacząłem robić w fabryce krzeseł.

– Ja pracuję w trafice.

– Bombowo.

Disc jockey wyrecytował namiary na niedzielną giełdę płyt. Potem nastąpiła reklama wesołego miasteczka i Elwood zanucił pod nosem.

– Co jest? – mruknął Rodney.

Wypuścił głośno powietrze z płuc i zaklął. Przeciągnął dłonią po kinolu.

W lusterku wstecznym zamigotały czerwone światła radiowozu.

Znajdowali się na wsi, w pobliżu nie było innych aut. Rodney zamruczał coś i zjechał na pobocze. Elwood położył torbę na kolanach.

– Wyluzuj – rzucił Rodney.

Biały policjant zatrzymał się kilka kroków za nimi. Wysiadł i podszedł, z lewą ręką na kaburze. Zdjął okulary przeciwsłoneczne i włożył je do kieszeni na piersi.

– Nie znamy się, okej? – szepnął Rodney.

– Dobra – odrzekł Elwood.

– Tak mu powiem.

Policjant wyciągnął broń.

– Od razu tak pomyślałem, jak mi kazali wypatrywać plymoutha. Że tylko czarnuch takiego zakosi.

# CZĘŚĆ DRUGA

# Rozdział czwarty

– – – – – – – – – –

Po skazaniu przez sędziego na pobyt w Miedziaku Elwood mógł spędzić w domu trzy dni. Radiowóz przyjechał we wtorek o siódmej rano. Konwojentem był zacny jegomość z bujną brodą, idący chwiejnym krokiem, jak na kacu. Wyrósł nieco z koszuli, którą miał na sobie, a napięte guziki sprawiały, że wyglądał jak obity tapicerką. Ale był białym mężczyzną z pistoletem, więc pomimo rozmemłania roztaczał właściwe wibracje. Ludzie na gankach przy ulicy patrzyli, palili papierosy, ściskali kurczowo poręcze, jakby się bali wypadnięcia za burtę. Miejscowi filowali z okien, wiążąc tę scenę z wydarzeniami sprzed lat, kiedy zabierano chłopca albo mężczyznę, a nie był to wtedy sąsiad mieszkający naprzeciwko, lecz ktoś z rodziny. Brat, syn.

Ilekroć konwojent się odzywał, co nie zdarzało się często, memłał wykałaczkę w ustach. Przykuł Elwooda kajdankami do metalowej sztaby, biegnącej za przednim siedzeniem, i milczał jak zaklęty przez czterysta czterdzieści kilometrów.

Dotarli do więzienia w Tampie. Pięć minut później funkcjonariusz awanturował się z tamtejszym urzędnikiem. Zaszła pomyłka: wszyscy trzej chłopcy byli skierowani do Miedziaka, a kolorowy miał być zgarnięty na ostatku, nie w pierwszej kolejności. Przecież Tallahassee znajdowało się ledwie godzinę drogi od zakładu poprawczego. Nie zastanowiło go, że będzie woził chłopaka wte i wewte, jakby to było jo-jo? – spytał urzędnik. Teraz miał już czerwoną twarz.

– Przeczytałem to, co stoi w papierach – odparł funkcjonariusz.

– Bo to porządek alfabetyczny.

Elwood potarł nadgarstek rozorany przez kajdanki. Mógłby przysiąc, że ławka w poczekalni to ławka kościelna, miała identyczny kształt.

Pół godziny później znów byli w trasie. Franklin T. i Bill Y., rozstrzał alfabetyczny z Elwoodem Curtisem, charakterologiczny jeszcze większy. Od pierwszego ich grymasu Elwood uznał dwóch białych chłopców siedzących obok za ostrych gości. Franklin T. miał najbardziej piegowatą twarz, jaką kiedykolwiek widział, do tego mocną opaleniznę i rude włosy obcięte na rekruta. Opuszczona głowa, wzrok skierowany w dół, na własne buty, ale gdy podnosił spojrzenie na innych, jego oczy niezmiennie przepełniała wściekłość. Z kolei u Billa Y. oczy były wbite w głąb, sine i podbiegłe krwią. Usta miał spuchnięte i w strupach. Brązowe znamię w kształcie gruszki na prawym policzku dodawało jeszcze jeden odcień do jego pokrytej plamami twarzy. Prychnął, gdy zerknął na Elwooda, a ilekroć podczas jazdy dotknęli się nogami, natychmiast się odsuwał, jakby otarł się o rozpalony piec.

Bez względu na różne biografie, bez względu na przyczyny skierowania do Miedziaka, zostali skuci w ten sam sposób i byli wiezieni do tego samego miejsca przeznaczenia. Po chwili Franklin i Bill zaczęli sobie opowiadać o swoim życiu. Franklin jechał do Miedziaka po raz drugi. Wcześniej był za łobuzerkę, teraz za wagary. Dostał wtedy bęcki za podglądanie żony kierownika jednego z internatów, ale poza tym uważał, że miejsce jest przyzwoite. Przynajmniej wyląduje z dala od ojczyma. Bill był wychowywany przez siostrę i skumał się z całym stadem czarnych owiec, jak to ujął sędzia. Wybili witrynę w aptece, ale chłopakowi w sumie się upiekło. Jechał do Miedziaka, bo miał tylko czternaście lat, pozostali trafili do Piedmont.

Konwojent powiedział dwóm białym chłopcom, że siedzą w towarzystwie złodzieja samochodów, na co Bill parsknął śmiechem.

– Rany, bez przerwy kosiliśmy fury dla draki – pochwalił się. – Za to powinni mnie posadzić, a nie za jakieś durne okno.

Z międzystanówki za Gainesville odbili w bok. Funkcjonariusz zjechał na pobocze, żeby się wysikali, następnie poczęstował ich kanapkami z musztardą. Nie skuł ich kajdankami, gdy wsiedli z powrotem. Powiedział, że i tak przecież nie uciekną. Objechał Tallahassee, wybierając boczną drogę, jakby miasto w ogóle nie istniało. Nie poznaję tych drzew, pomyślał Elwood, kiedy dotarli do okręgu Jackson. Był przybity.

Gdy w końcu spojrzał na szkołę, pomyślał, że może Franklin ma rację – że w Miedziaku nie jest tak źle. Spodziewał się wysokich murów i drutu kolczastego, ale żadnych murów nie było. Teren utrzymywano w nienagannym porządku, obfitą zieleń pstrzyły dwu- i trzypiętrowe budynki z czerwonej cegły. Cedry i brzozy, wysokie i leciwe, rzucały plamy cienia. To była najładniejsza posiadłość, jaką Elwood kiedykolwiek widział – prawdziwa szkoła, i to porządna, a nie złowrogi poprawczak, jak to sobie roił w głowie w ostatnich tygodniach. Co za smutny żart, bo zlewało się to z jego wyobrażeniami o Politechnice Melvina Griggsa, no może minus kilka posągów i kolumn.

Ruszyli długą drogą do głównego budynku administracji i Elwood dojrzał boisko, na którym wrzeszczący chłopcy ustawiali młyn w meczu futbolu amerykańskiego. W swoich fantazjach widział gówniarzy przykutych łańcuchami do kul – obraz zaczerpnięty z komiksów. Tymczasem te gardłujące chłopaki miały tu dobrą zabawę.

– Nieźle – rzucił z zadowoleniem Bill.

Nie tylko Elwood był podniesiony na duchu.

– Nie chojrakujcie tutaj – przestrzegł ich konwojent. – Jak sekcyjni nie wdepczą was w ziemię albo nie wessie was bagno, to...

– Ściągną psy z więzienia stanowego, z Apalachee – dopowiedział Franklin.

– Poradzicie sobie, jeśli sobie poradzicie – zakończył funkcjonariusz.

W budynku pomachał do pracownika administracji, który zabrał ich wszystkich do żółtego pokoju z drewnianymi kartotekami przy ścianach. Krzesła były ustawione rzędami jak w klasie. Chłopcy usiedli daleko od siebie. Elwood wybrał miejsce z przodu, zgodnie ze swoim zwyczajem. Wyprostowali się sztywno, gdy drzwi otworzył nadzorca Spencer.

Maynard Spencer był białym mężczyzną pod sześćdziesiątkę, z czarnymi włosami przetykanymi siwizną. Ten, używając określenia Harriet, „ranny ptaszek" poruszał się zdecydowanie, jakby wszystko przećwiczył przed lustrem. Miał wąską szopowatą twarz z drobnym nosem, który przykuł uwagę Elwooda, i podkrążone oczy pod krzaczastymi brwiami. Dbał pedantycznie o swój mundur – kanty wydawały się ostre niczym żywa brzytwa.

Spencer kiwnął głową do Franklina, a ten chwycił rękami za rogi ławki. Nadzorca zdusił uśmiech, jakby dobrze wiedział, że chłopak wróci. Oparł się o tablicę i skrzyżował ręce na piersi.

– Przyjechaliście dość późno, więc nie będę się rozwodził – powiedział. – Ci, którzy tutaj trafiają, trafiają dlatego, że nie umieli żyć wśród przyzwoitych ludzi. No i dobrze. To szkoła, a my jesteśmy nauczycielami. Nauczymy was zachowywać się właściwie, tak jak inni. Wiem, że już to słyszałeś, Franklin, ale najwyraźniej niczego nie przyswoiłeś. Może tym razem będzie inaczej. W tej chwili wszyscy trzej jesteście kijankami. Mamy tu cztery stopnie. Zaczynamy jako kijanka, potem awansujemy na tropiciela, potem na pioniera, wreszcie na asa. Gromadzimy zasługi za dobre sprawowanie i wspinamy się po szczeblach. Gdy dochrapiecie się najwyższego stopnia, czyli asa, kończycie naukę i wracacie do domu, do rodziny. – Zamilkł na chwilę. – Jeśli was przyjmą, ale to już wasza sprawa. – As, wyjaśnił Spencer, słucha sekcyjnych i wychowawców, robi swoje bez wykrętów i bez szemrania, przykłada się do nauki. As nie awanturuje się, nie przeklina, nie bluźni ani nie rozrabia. Od wschodu do zachodu słońca stara się samodoskonalić. – Od was zależy, ile czasu u nas spędzicie. Dla sprawiających problemy mamy szczególne miejsce, które na pewno by się wam nie spodobało. Osobiście tego dopilnuję w razie konieczności.

Miał surową minę, ale gdy dotykał ogromnego pęku kluczy przy pasku, kąciki jego ust drgały z rozkoszy, a może w wyrazie bardziej mrocznej emocji. Nadzorca zwrócił się znów do Franklina, chłopca, który przyjechał, żeby drugi raz posmakować Miedziaka.

– Powiedz im.

Wezwany zachrypiał. Musiał się opanować, żeby wyartykułować słowa.

– Tak jest, proszę pana. Nie należy przekraczać ustalonych granic.

Spencer przyjrzał się po kolei trzem chłopcom, odnotowując to i owo w głowie, po czym wstał.

– Pan Loomis dokończy z wami formalności – rzekł i wyszedł.

Klucze przy pasku zabrzęczały jak ostrogi szeryfa w westernie.

Kilka minut później pojawił się ponury biały mężczyzna – Loomis – który zaprowadził ich do pomieszczenia w piwnicy, gdzie trzymano szkolne uniformy. Drelichowe spodnie, szare robocze koszule i brązowe półbuty różnej wielkości zapełniały półki na ścianach. Loomis powiedział chłopcom, żeby znaleźli swoje rozmiary, a Elwooda skierował do części dla kolorowych, gdzie leżały bardziej znoszone rzeczy. Przebrali się. Elwood złożył swoją koszulę i ogrodniczki i schował je do płóciennej torby, którą przywiózł z domu. Miał w niej dwa swetry i garnitur z Dnia Wyzwolenia, noszony do kościoła. Franklin i Bill nie przywieźli niczego.

Próbował nie gapić się na nich, gdy się przebierali. Obaj mieli długie guzowate warkocze szram i ślady jak po poparzeniach. Już nigdy potem nie widział Franklina ani Billa. W szkole było ponad sześciuset uczniów; białych kierowano pod wzgórze, czarnych na wzgórze.

Po powrocie do rejestracji czekali na swoich wychowawców, którzy mieli ich zabrać do internatów. Wychowawca Elwooda przyszedł pierwszy, pyzaty siwowłosy mężczyzna, ciemnoskóry, o pogodnych szarych oczach. Spencer był surowy i przerażający, Blakeley miał łagodne i miłe usposobienie. Uścisnął Elwoodowi serdecznie dłoń i powiedział, że kieruje internatem, do którego go przydzielono. Cleveland.

Ruszyli do kwater dla kolorowych. Elwood trochę się rozluźnił. Był przerażony miejscem prowadzonym przez ludzi pokroju Spencera i perspektywą spędzenia tutaj dłuższego czasu – pod kontrolą osobników, którzy lubią wypowiadać groźby i widzieć, jakie to wywiera wrażenie na innych – ale być może czarna kadra troszczy się o swoich? A jeśli nawet są tak wredni jak biali, to przecież on nigdy nie pozwalał sobie na draki, przez które inni mieli kłopoty. Pocieszał się myślą, że powinien nadal robić to, co robił zawsze: postępować właściwie.

Dokoła i na zewnątrz kręciło się mnóstwo uczniów. Sylwetki poruszały się w oknach internatów. Pora kolacji, pomyślał Elwood. Kilku czarnych chłopców, których minęli na betonowej ścieżce, powitało Blakeleya z szacunkiem, ale Elwooda jakby w ogóle nie zauważyli.

Wychowawca powiedział mu, że pracuje w tej szkole od jedenastu lat, „od złych czasów aż do teraz". Tej instytucji przyświeca określona filozofia, wyjaśnił, a mianowicie uczą chłopców brać los w swoje ręce.

– To wy kierujecie wszystkim – rzekł. – Robicie cegły, z których są te domy, lejecie beton, pielęgnujecie trawniki. Niezły efekt, jak widzisz. – Praca utrzymuje wychowanków w pionie, ciągnął Blakeley, daje im umiejętności, które mogą potem, po wyjściu stąd, wykorzystać. Drukarnia Miedziaka drukuje wszystkie teksty dla władz Florydy, od przepisów podatkowych, przez prawo budowlane, po mandaty za złe parkowanie. – Nauczyć się wykonywania tych wielkich zamówień i wziąć na swoje barki cząstkę odpowiedzialności to wiedza praktyczna, z której można czerpać pożytek przez resztę życia.

Wszyscy chłopcy muszą chodzić do szkoły, powiedział Blakeley, taka obowiązuje zasada. Inne zakłady poprawcze być może nie dbają o równowagę między resocjalizacją a edukacją, ale w Miedziaku dopilnowujemy, aby podopieczni nie zostawali w tyle, dlatego lekcje są co drugi dzień, naprzemiennie z pracą, niedziele wolne.

Wychowawca zauważył zmianę na twarzy Elwooda.

71

– Czego innego się spodziewałeś?

– W tym roku miałem się uczyć w college'u – odparł chłopak.

Był październik, semestr rozpoczął się na dobre.

– Porozmawiaj o tym z panem Goodallem. On zajmuje się starszymi rocznikami. Jestem pewien, że znajdziecie rozwiązanie. – Blakeley się uśmiechnął. – Pracowałeś kiedyś w polu? – spytał. Na tysiącu czterystu akrach były rozmaite uprawy: limonki, pataty, arbuzy. – Ja się urodziłem na farmie. Ale wielu tutejszych dzieciaków pierwszy raz w życiu musi się zająć czymś konkretnym.

– Rozumiem, proszę pana – odpowiedział Elwood.

W koszuli była metka czy coś i ciągle drapało go w szyję. Blakeley przystanął.

– Wiesz, kiedy przytakiwać, to znaczy zawsze, więc sobie poradzisz, synu. – Stwierdził, że zna „sytuację" Elwooda, intonacją robiąc z tego słowa jeszcze większy eufemizm. – Życie przerosło wielu naszych podopiecznych. Pobyt tutaj to okazja, żeby się ogarnąć i poukładać sobie w głowie.

Cleveland wyglądał identycznie jak inne internaty na terenie poprawczaka, tutejsza cegła pod zielonym miedzianym dachem, w otoczeniu kwadratowych żywopłotów wygrzebujących się z czerwonej ziemi. Blakeley wprowadził Elwooda przez frontowe drzwi i od razu stało się jasne, że na zewnątrz jest inaczej niż w środku.

Wypaczone klepki podłogowe skrzypiały bez przerwy, a żółte ściany były porysowane i odrapane. Z kanap i foteli w świetlicy sterczała wyściółka tapicerska. Stoły znaczył bezlik inicjałów i ordynarnych słów, wyrytych przez setki łobuzerskich rąk. Elwood nawykowo skoncentrował się na oznakach zapuszczenia, które Harriet natychmiast poleciłaby jego uwadze: we wszystkich szafkach dokoła zamków i klamek rozmazane aureole po tłustych palcach, kłaki kurzu i włosów w kątach.

Blakeley przedstawił układ pomieszczeń. Na parterze każdego internatu znajdowały się biura administracyjne, mała kuchnia i dwie duże sale. Na pierwszym piętrze były sypialnie: dwie przeznaczone dla uczniów w wieku licealnym, jedna dla młodszych chłopców.

– Małolatów nazywamy karolkami – powiedział. – Nie pytaj mnie dlaczego.

Na samej górze urządzono pomieszczenia gospodarcze i mieszkanie Blakeleya. Chłopcy szykują się już do łóżek, dodał wychowawca. Stołówka jest kawałek stąd, kończą wydawanie kolacji, więc czy Elwood chce czegoś z kuchni, zanim ją zamkną na noc? Ale on nie mógł myśleć o jedzeniu, żołądek miał ściśnięty.

W sali numer 2 stało puste łóżko. Na niebieskim linoleum ciągnęły się trzy rzędy prycz, w każdym po dziesięć, a pod każdą stał kufer na osobiste rzeczy. Gdy Elwood szedł tutaj, nikt nie zwrócił na niego żadnej uwagi, ale teraz wszyscy mu się przypatrywali. Niektórzy szeptali, kiedy Blakeley prowadził go między rzędami, inni odkładali swoją ocenę na później. Jeden z chłopaków wyglądał na trzydzieści lat, choć Elwood wiedział, że to niemożliwe, bo nie trzymano tutaj nikogo powyżej osiemnastego roku życia. Zobaczył kilku takich, co zgrywali twardzieli, jak ci dwaj biali w czasie jazdy z Tampy, lecz z ulgą stwierdził, że większość sprawia wrażenie zwyczajnych chłopaków z sąsiedztwa, tylko smutniejszych. Jeśli są normalni, jakoś przetrwa.

Wbrew temu, co słyszał, Miedziak rzeczywiście był przede wszystkim szkołą, a nie posępnym więzieniem dla młodocianych przestępców. Dopisało mu szczęście, tak mówił jego adwokat. W Miedziaku kradzież samochodu uznawano za spore osiągnięcie. Elwood dowiedział się, że większość chłopaków wylądowała tutaj za mniejsze – mętne, niejasne – przestępstwa. Niektórzy byli podopiecznymi władz stanowych – nie mieli rodzin, nie było gdzie ich umieścić.

Blakeley otworzył kufer i pokazał Elwoodowi przydzielone mu mydło i ręcznik, po czym przedstawił go chłopcom na sąsiednich łóżkach. Imiona: Desmond i Pat. Polecił im, żeby go wprowadzili w zasady.

– Nie myślcie, że nie będę was obserwował – powiedział.

Tamci mruknęli „Cześć" i gdy tylko Blakeley wyszedł, wrócili do kart z baseballistami.

Elwood nie był mazgajem, ale od czasu aresztowania często się rozklejał. Łzy do oczu napływały w nocy, gdy wyobrażał sobie, co go czeka w Miedziaku. I gdy słyszał za ścianą łkanie babci, krzątającej się po pokoju, zamykającej i otwierającej szafki, bo nie wiedziała, co począć z rękami. I gdy bez powodzenia próbował zrozumieć, dlaczego szlak jego życia zboczył nagle w ten ciemny zaułek. Zdając sobie sprawę, że nie powinien płakać na oczach chłopaków, odwrócił się na pryczy i zakrył głowę poduszką, wsłuchany w głosy dokoła: żarty, drwiny, opowieści o domu i dawnych kumplach, durne wyobrażenia o tym, jak funkcjonuje świat, i naiwne plany, jak go przechytrzyć.

Ten dzień Elwood zaczął w poprzednim życiu, a zakończył go tutaj. Poszewka na poduszkę śmierdziała octem, a nocą świerszcze i pasikoniki cykały falami, cicho, potem głośniej, raz tak, raz tak.

Spał, gdy rozległ się dziwny hałas. Nadciągnął z dworu, jednostajny szum i świst. Przerażający i mechaniczny, nieodgadnionego pochodzenia. Elwood nie wiedział, z której książki zapożyczył to słowo, ale objawiło mu się natychmiast: „nawałnica".

W sali rozbrzmiał głos:

– Niech ktoś skoczy po lody.

Paru chłopaków zachichotało.

# Rozdział piąty

-----------

Turnera poznał drugiego dnia w Miedziaku, a więc tego dnia, kiedy odkrył posępny cel dziwnego porannego hałasu.

– Większość czarnuchów wytrzymuje całe tygodnie, dopiero potem się załamują – powiedział Turner. – Musisz dać sobie spokój z tą gównianą gorliwością, El.

Prawie każdego ranka budził ich ten dziarski hejnał grany przez trębacza. Blakeley pukał do drzwi sali numer 2 i wołał:

– Pora wstawać!

Uczniowie witali kolejny dzień w Miedziaku jękami i stekiem przekleństw. Stawali dwójkami do przeglądu, potem następował dwuminutowy prysznic, podczas którego z wściekłością nacierali się kredowym mydłem, aż ich czas dobiegł końca. Elwood udawał niewzruszoność w obliczu wspólnej kąpieli pod natryskami, mniej jednak udało mu się zamaskować przerażenie z powodu lodowatej wody, bezlitośnie paraliżującej ciało. To, co lało się z rur, śmierdziało zbukiem, podobnie jak każdy, kto się umył – przynajmniej dopóki skóra nie wyschła.

– Teraz śniadanie – oznajmił Desmond.

Zajmował sąsiednią pryczę, więc starał się wypełnić polecenie wychowawcy z poprzedniego wieczoru. Miał okrągłą głowę, pulchne dziecięce policzki i głos, który wszystkich zaskakiwał, gdy pierwszy raz go słyszeli, bo był taki burkliwy i pełen basów. Lubił podkradać się do karolków i straszyć ich nagłym warknięciem, aż pewnego dnia sekcyjny z jeszcze grubszym głosem zaszedł go od tyłu i nastraszył, dając mu nauczkę.

Elwood powtórzył, jak ma na imię, żeby wyznaczyć nowy początek ich znajomości.

– Mówiłeś wczoraj – odparł Desmond. Zawiązał brązowe buty wyglansowane na połysk. – Jak trochę tu pobędziesz, będziesz musiał pomagać kijankom, żebyś zebrał punkty. Ja już jestem w połowie pionierem.

Przeszli razem czterysta metrów do stołówki, ale rozdzielili się w kolejce do koryta, a gdy Elwood rozejrzał się za miejscem, żeby usiąść, nie zobaczył nigdzie Desmonda. W stołówce panował hałas, istny rejwach, chłopaki z Cleveland serwowali sobie poranną porcję idiotyzmów. Elwood znów stał się niewidzialny. Wypatrzył wolne miejsce przy jednym z długich stołów. Gdy się zbliżył, chłopak siedzący obok klepnął ręką w ławkę i powiedział, że zajęte. Przy sąsiednim stole tłoczyło się mnóstwo młodszych chłopców. Postawił tam tacę, ale popatrzyli na niego, jakby ześwirował.

– Dużym nie wolno siedzieć z małymi – odezwał się jeden z nich.

Elwood zajął szybko kolejne wypatrzone miejsce i żeby nie prowokować uwag, unikał kontaktu wzrokowego, po prostu jadł. Do owsianki wrzucono grudkę cynamonu, aby zabić parszywy smak. Jakoś to przełknął. Obrał pomarańczę i dopiero wtedy spojrzał na chłopaka siedzącego naprzeciwko, który wlepiał się w niego od dłuższego czasu.

Najpierw zauważył rozcięcie na lewym uchu, jak u bezpańskiego kota, który wiedzie ciężkie życie w zaułkach.

– Wtranżoliłeś owsiankę, jakby ci ją mamusia zrobiła – powiedział chłopak.

Że jak? On gada o jego matce?

– Co?

– No chodzi mi o to, że nie widziałem jeszcze, żeby ktoś tak jadł. Jakby mu smakowało.

W drugiej kolejności uwagę Elwooda zwrócił niezwykły indywidualizm tego chłopaka. Stołówkę rozsadzały zgiełk i młodzieńcza energia, ale on tkwił w bańce własnego spokoju. Z upływem czasu Elwood dostrzegł, że nowy kolega czuje się swojsko w każdej sytuacji i zarazem sprawia wrażenie, jakby w ogóle go nie dotyczyła, był w samym środku i jednocześnie poza, odrębna osoba. Jak pień drzewa, które upada w poprzek strumienia – niby nie należy do wody, ale już na zawsze w niej pozostanie, tworząc własne kręgi w większym nurcie.

Powiedział, że na imię ma Turner.

– Elwood. Jestem z Tallahassee. Z Frenchtown.

– Z Frenchtown? – powtórzył z jękiem maminsynka chłopak siedzący nieco dalej, wzbudzając dokoła śmiech.

Było ich trzech. Największy ten, którego Elwood widział poprzedniego wieczoru i który wydawał się zbyt stary, żeby siedzieć w Miedziaku. Kolosa zwali Griff; oprócz dorosłego wyglądu miał szeroką klatkę piersiową i garbił się jak niedźwiedź. Mówiono, że jego ojca zakuto w kajdany w Alabamie za zamordowanie żony, a to zło było podobno dziedziczne. Dwa przydupasy Griffa, postury Elwooda, choć sama skóra i kości, miały dzikie, okrutne oczy. Szeroka buldogowata twarz Lonniego zwężała się u góry jak pocisk, aż po ogolony na łyso czerep. Wyhodował sobie cienki wąsik i miał w zwyczaju głaskać go kciukiem i palcem wskazującym, gdy obmyślał jakieś okrucieństwo. Ostatni członek tego tria zwał się Czarny Mike. Był żylastym chłopakiem z Opelousas, pochłoniętym nieustanną walką z własną niespokojną krwią; tego ranka kiwał się bez przerwy na ławce i w końcu podłożył dłonie pod tyłek, żeby mu nie odfrunęły. Ci trzej zawładnęli przeciwległym krańcem stołu – miejsca pomiędzy nimi pozostawały puste, bo nikt nie był tak głupi, żeby tam siadać.

– Po co ryj piłujesz, Griff? – odezwał się Turner. – Wiesz, że w tym tygodniu mają na ciebie oko.

Elwood uznał, że chłopak ma na myśli wychowawców; było ich siedmiu – rozlokowani przy różnych stołach na całej sali, jedli wspólnie z podopiecznymi. Wychowawca siedzący najbliżej, choć w żadnym razie nie mógł słyszeć tych słów, podniósł głowę i posłał wszystkim ostrzegawcze spojrzenie. Griff, rozrabiaka, zaszczekał do Turnera, a pozostali dwaj zarechotali, bo psie odgłosy były częścią obowiązującego żartu. Lonnie, ten z ogoloną głową, mrugnął do Elwooda, po czym cała trójka wróciła do porannej narady.

– Jestem z Houston – powiedział Turner. Miał znudzony głos. – To porządne miasto. Bez tego wsiowego badziewia jak wszędzie tutaj.

– Dzięki za pomoc – mruknął Elwood, wskazując głową w kierunku trzech łobuzów.

Turner chwycił swoją tacę.

– E tam, gówno zrobiłem – odparł.

Wszyscy zerwali się od stołów: czas na lekcje. Desmond klepnął Elwooda w ramię i poprowadził go. Szkoła dla kolorowych znajdowała się u podnóża wzniesienia, obok warsztatu samochodowego i magazynu.

– Kiedyś nie cierpiałem się uczyć – powiedział. – Ale tutaj można się nawet trochę przekimać.

– Myślałem, że są twarde zasady.

– W domu ojciec lał mnie po tyłku, jak przebimbałem jeden dzień szkoły. A w Miedziaku to…

Postępy w nauce nie mają wpływu na awans zakończony wyjściem z poprawczaka, wyjaśnił Desmond. Nauczyciele nie zwracają uwagi na obecności ani nie stawiają stopni. Łebskie chłopaki zbierają zasługi. Jak masz sporo zasług, to wypuszczą cię wcześniej za wzorowe sprawowanie. Praca, właściwa postawa, dowody posłuszeństwa, a nawet potulność – te cechy przesądzały o punktacji i Desmond zawsze miał je na względzie. Musiał wrócić do domu. Pochodził z Gainesville, gdzie jego ojciec był ulicznym czyścibutem. Tyle razy uciekał w świat, robiąc przy okazji afery, że ojciec uprosił władze Miedziaka, żeby wzięły jego syna.

– Tak często spałem pod gołym niebem, że chyba uznał, że ucieszy mnie dach nad głową.

Elwood spytał go, czy poskutkowało.

Desmond odwrócił się i odparł:

– Człowieku, muszę się dochrapać pioniera. – Dorosły głos wychodzący z mizernego ciała wypowiedział wzruszające życzenie.

Budynek szkoły dla kolorowych był starszy niż internaty, pamiętał pierwsze dni zakładu poprawczego. Na piętrze znajdowały się dwie sale dla karolków, na parterze dwie dla starszych chłopców. Desmond wprowadził Elwooda do klasy, w której upakowano mniej więcej pięćdziesiąt ławek. Elwood wcisnął się do drugiego rzędu i od razu przeżył szok. Plakaty na ścianach ukazywały sowy w okularach, pohukujące literami alfabetu, a obok wisiały kolorowe rysunki obrazujące podstawowe rzeczowniki: dom, kot, stodoła. Co to, przedszkole? Z podręcznikami było jeszcze gorzej niż w Lincoln High – wszystkie pochodziły z czasów sprzed jego narodzin, wcześniejsze wydania książek, które pamiętał z pierwszej klasy.

Wszedł nauczyciel, pan Goodall, ale nikt nie zwrócił na niego uwagi. W płóciennym garniturze, był sześćdziesięciopięciolatkiem o różowej skórze, z siwą grzywą, która razem z grubymi okularami w szylkretowych oprawkach nadawała mu wygląd uczonego. Lecz to wrażenie szybko wyparowało. Najwyraźniej tylko Elwood był głęboko zawiedziony rozkojarzonymi, nijakimi wysiłkami nauczyciela; pozostali chłopcy pajacowali i żartowali przez cały ranek. Griff i jego kumple grali w piki z tyłu sali, a gdy Elwood złowił spojrzenie Turnera, dostrzegł, że czyta on pomięty komiks o Supermanie. Turner zobaczył jego wzrok, wzruszył ramionami i przewrócił kartkę. Desmond kimał, z szyją wygiętą pod bolesnym kątem.

Elwood, który odwalał w pamięci całą księgowość pana Marconiego, lekcję podstaw matematyki odebrał jako obrazę. Zamierzał przecież chodzić na politechnikę – dlatego właśnie znalazł się w tym skradzionym samochodzie. Podręcznikiem musiał się podzielić z chłopakiem siedzącym obok, grubasem, który bekał śniadaniem w serii potężnych wybuchów; zaczęli durną walkę o książkę. Większość uczniów Miedziaka nie umiała czytać. Gdy zabrali się tego ranka do opowiadania – nonsens o pracowitym zającu – pan Goodall nie raczył nawet poprawiać ich błędów ani prezentować właściwej wymowy. Elwood cyzelował ustami każdą sylabę z taką pieczołowitością, że uczniowie dokoła wyrywali się z zadumy, zaciekawieni, co za czarnuch tak się wysławia.

Po dzwonku na dużą przerwę podszedł do Goodalla. Nauczyciel udał, że go poznaje.

– Cześć, synu, co mogę dla ciebie zrobić?

Jeszcze jeden kolorowy chłopak – zjawiali się i znikali bez końca. Z bliska widać było, że różowe policzki i nos Goodalla są chropawe i dziobate. Jego spocona skóra, z akcentem wczorajszej butelczyny, buchała słodkawymi oparami.

Wystrzegając się tonu oburzenia w głosie, Elwood spytał, czy w Miedziaku są lekcje dla zaawansowanych uczniów chcących iść na studia. Bo ten materiał opanowałem sporo lat wcześniej, dodał skromnie.

Goodall zareagował całkiem sympatycznie.

– Oczywiście, pomówię o tym z dyrektorem. Jeszcze raz, jak się nazywasz?

Elwood dogonił Desmonda na ścieżce prowadzącej do Cleveland i powiedział mu o rozmowie z nauczycielem.

– Uwierzyłeś w te pierdoły?

Po dużej przerwie był czas na zajęcia plastyczno-techniczne. Blakeley odciągnął Elwooda na bok. Chciał, żeby chłopak wszedł do ekipy porządkowej złożonej z kijanek. Miał do nich dołączyć w środku zmiany. Pielęgnowanie terenu pozwala rozeznać się w terenie, by tak rzec.

– Zobaczysz wszystko z bliska – powiedział Blakeley.

Tego pierwszego popołudnia Elwood i pięciu innych – większość karolków – krzątali się po „kolorowej" połowie poprawczaka, wyposażeni w kosy i grabie. Ich przywódcą był cichy chłopak o imieniu Jaimie, który miał wrzecionowatą, chudą sylwetkę właściwą tutejszym podopiecznym. Skakał po Miedziaku wte i wewte – jego matka była Meksykanką, więc nie wiedzieli, co z nim zrobić. Kiedy tu przybył, umieścili go wśród białych chłopaków, ale pierwszego dnia pracy przy limonkach tak pociemniał od słońca, że Spencer przeniósł go do czarnych. Jaimie spędził w Cleveland miesiąc, jednak potem dyrektor Hardee urządził sobie pewnego dnia obchód i zobaczył jasną twarz pośród ciemnych. Kazał skierować Jaimiego do części dla białych. Spencer odczekał spokojnie kilka tygodni, po czym przerzucił chłopaka z powrotem.

– I tak krążę – powiedział Jaimie, grabiąc sosnowe igły w kopczyk. Miał krzywy uśmiech człowieka z obluzowanymi zębami. – Pewnie któregoś dnia w końcu się zdecydują.

Elwood zrobił rozpoznanie, gdy kosili pod górę, obok dwóch innych internatów dla kolorowych, boisk do koszykówki wyłożonych rdzawą gliną i wielkiej pralni. Patrząc ze wzniesienia, pośród drzew widzieli większość terenu dla białych: trzy internaty, szpital i budynki administracyjne. Dyrektor Hardee, szef poprawczaka, pracował w dużym czerwonym domu z amerykańską flagą. Były jeszcze spore obiekty, z których biali i czarni uczniowie korzystali na przemian, jak sala gimnastyczna, kaplica i warsztat stolarski. Widziana z góry szkoła dla białych wyglądała identycznie jak ta dla kolorowych. Elwood zastanawiał się, czy uczą tam na wyższym poziomie, jak w Tallahassee, czy też w Miedziaku wszyscy, niezależnie od koloru skóry, otrzymują kształcenie dla opóźnionych w rozwoju.

Gdy dotarli na szczyt wzgórza, chłopcy z ekipy zawrócili. Na przeciwległym zboczu znajdował się cmentarz, Boot Hill. Białe krzyże, szare chwasty i kołyszące się krzywe drzewa okalał niski mur z nieociosanych kamieni. Wszyscy trzymali się z dala od tego miejsca.

Jak ruszysz drogą w dół po drugiej stronie szczytu, wyjaśnił Jaimie, to w końcu dojdziesz do drukarni, pierwszych farm i bagniska, które wyznacza granicę poprawczaka od północy.

– Nie martw się, prędzej czy później będziesz tam zbierał ziemniaki – powiedział.

Grupy uczniów ciągnęły ścieżkami i drogami do wy-znaczonych prac, a nadzorcy w służbowych autach krążyli po terenie, obserwując. Elwood stanął jak wryty na widok czarnego chłopca, trzynasto-, może czternastolatka, za kierownicą starego traktora ciągnącego drewnianą przy-czepę pełną uczniów. Młodociany traktorzysta na wielkim siedzisku wydawał się senny i zarazem pogodny, wioząc pasażerów na farmę.

Pozostali chłopcy zastygli i umilkli. To oznaczało, że Spencer jest w pobliżu.

W połowie drogi między częścią dla białych a częścią dla czarnych stał parterowy prostokątny budynek, niski i cher-lawy, który Elwood wziął za barak z narzędziami. Plamy rdzy wiły się jak winorośl na pomalowanych białą farbą ścianach z pustaków, ale zieleń wykończenia dokoła okien i drzwi wydawała się świeża i soczysta. W dłuższej ścianie było jedno duże okno i trzy małe – kaczka z kaczątkami.

Budynek otaczało pasmo nieściętej, niepielęgnowanej trawy.

– Mamy się tym zająć? – spytał Elwood.

Dwaj chłopcy stojący obok zacmokali.

– Ej, czarnuch, tam się nie chodzi, chyba że sami cię zabiorą – odpowiedział jeden z nich.

Czas do kolacji Elwood spędził w świetlicy Cleveland. Zajrzał do szafek, w których zobaczył karty, gry i pająki. Uczniowie kłócili się o to, który z nich powinien zagrać w ping-ponga w następnej kolejności; walili rakietkami w stronę obwisłej siatki i klęli po zbyt długich zagraniach, a biała piłeczka stukała nierówno niczym tętno nastoletniego popołudnia. Elwood sprawdził skąpe zasoby biblioteczki: *Bracia Hardy* i komiksy. Stały tam jeszcze nadpleśniałe książki przyrodnicze ze zdjęciami pejzaży i zbliżeniami dna morskiego. Otworzył pudełko szachów. W środku były tylko trzy figury – wieża i dwa pionki.

Przez świetlicę przewijali się uczniowie, w drodze z lub do pracy i zajęć sportowych, do łóżek na piętrze albo do swoich prywatnych zakamarków łobuzerstwa. Pan Blakeley zajrzał do środka i przedstawił Elwooda Carterowi, jednemu z czarnych sekcyjnych. Carter był młodszy od wychowawcy i zachowywał się jak służbista. Obdarzył chłopca szybkim, niezobowiązującym skinieniem głowy i odwrócił się, żeby powiedzieć siedzącemu w kącie maminsynkowi, by przestał ssać kciuk.

Połowa sekcyjnych w Cleveland była czarna, połowa biała.

– Na dwoje babka wróżyła, będą patrzeć przez palce albo się do ciebie przychrzanią – powiedział Desmond. – Kolor nieważny. – Położył się na jednej z kanap, z głową na komiksach, żeby nie dotknąć podejrzanej plamy na tapicerce. – Większość jest w porządku, ale niektórzy mają wściekliznę. – Wskazał gospodarza internatu, którego obowiązkiem było odnotowywanie przewinień i frekwencji.

W tym tygodniu gospodarzem był jasnoskóry chłopak o gęstych złotych lokach, przezywany Ptasiek, bo stawiał stopy do środka. Nucąc wesoło, Ptasiek patrolował piętro z ołówkiem i kartką na podkładce, symbolami swego urzędu. – Ten zakapuje cię w sekundę – dodał Desmond. – Ale jak się trafi dobry sekcyjny, możesz zgarnąć parę zasług na tropiciela albo pioniera.

Z podnóża od południowej strony dobiegło wycie syreny. Nie wiadomo, co to było. Elwood odwrócił drewnianą skrzynkę i usiadł na niej. Jak wpasować to miejsce w swoją życiową drogę? Z sufitu zwisały płaty odłażącej farby, a pokryte sadzą okna z każdej pory dnia czyniły wieczór. Myślał o przemówieniu doktora Kinga do uczniów w Waszyngtonie, na temat praw ciemiężących czarnych i tego, jak to uciemiężenie przekuć w czyn. „Jak nic innego wzbogaci to waszego ducha. Przyda wam rzadkiego poczucia szlachetności, które bierze się wyłącznie z miłości i niesienia bezinteresownej pomocy drugiemu człowiekowi. Wybierzcie drogę człowieczeństwa. Uczyńcie z tego fundament swojego życia".

Ugrzązłem tutaj, ale nie na długo, i zrobię z tego jak najlepszy użytek, obiecał sobie Elwood. Wszyscy w Tallahassee uważali go za chłopca odpowiedzialnego i godnego zaufania – w Miedziaku też szybko się na nim poznają. Przy obiedzie zapytał Desmonda, ile punktów potrzebuje, żeby przestać być kijanką, ile czasu zajmuje zwykle awans i wyjście na wolność. Postanowił, że zrobi to dwa razy szybciej. Na tym polegał jego opór.

Z tą myślą przejrzał trzy pudełka z szachami, złożył z ich zawartości jeden pełny komplet i wygrał dwie partie z rzędu.

Później nie potrafił udzielić żadnej sensownej odpowiedzi na pytanie, dlaczego wmieszał się do bójki w łazience. Być może w ten sam sposób postąpiłby jego dziadek, znany mu z opowieści babci: interweniował, gdy widział, że dzieje się coś złego.

Nie spotkał wcześniej Coreya, młodszego chłopaka, którego chcieli zgnoić. Łobuzów natomiast poznał przy śniadaniu. Lonniego z gębą buldoga i jego maniackiego kumpla, Czarnego Mike'a. Elwood poszedł się wysikać do łazienki na pierwszym piętrze i zobaczył, że tamci dwaj przyparli Coreya do ściany wyłożonej popękanymi kafelkami. Może to wszystko stało się dlatego, że ma pusty łeb, jak mawiały chłopaki z Frenchtown. A może dlatego, że tamci dwaj byli wyżsi, a ich ofiara niższa. Obrońca nakłonił sędziego, żeby pozwolił spędzić Elwoodowi ostatnie trzy dni w domu; w dniu rozprawy nie było nikogo, kto mógłby go zawieźć do Miedziaka, a zakład karny w Tallahassee był przepełniony. Gdyby chłopak spędził trochę czasu w więziennym tyglu, może dotarłoby do niego, że lepiej nie mieszać się do awantur innych ludzi, i to bez względu na przyczyny.

— Ej! – krzyknął i zrobił krok do przodu.

Czarny Mike odwinął się na pięcie i przygrzmocił mu w szczękę, posyłając go na umywalkę.

Inny chłopiec, kijanka, otworzył akurat drzwi do łazienki.

– O cholera! – zawołał.

Obchód miał Phil, jeden z białych sekcyjnych. Był ospały i na ogół wolał nie widzieć tego, co ma przed oczami. Już w bardzo młodym wieku uznał, że tak jest najlepiej. Na dwoje babka wróżyła, tak właśnie Desmond opisał zasadę sprawiedliwości rządzącą w Miedziaku. Bo tego dnia Phil zapytał:

– Co wy tu wyprawiacie, czarnuchy? – Lekkim tonem.

Był bardziej zaciekawiony niż coś poza tym. Interpretowanie zajścia nie należało do jego obowiązków. Kto jest winny, kto zaczął i dlaczego? – to robota dla innych. Jego zadanie polegało na utrzymaniu tych kolorowych chłopaków w ryzach, a tego dnia mógł spełnić swój obowiązek. Znał imiona pozostałych. Tylko nowego spytał, jak się nazywa.

– Pan Spencer się tym zajmie – powiedział Phil i kazał im się przygotować do obiadu.

# Rozdział szósty

- - - - - - - - -

Biali chłopcy siniaczyli się inaczej niż czarni i nazywali to „Wytwórnią Lodów", bo wychodziło się ze stłuczeniami najróżniejszego koloru. Czarni nazywali to z kolei „Białym Domem", bo taka była oficjalna nazwa, pasowała zresztą i nie trzeba było jej upiększać. Biały Dom wydawał prawa, których wszyscy musieli przestrzegać.

Przychodzili o pierwszej w nocy, ale budzili niewielu, gdyż niewielu potrafiło zasnąć, wiedząc, że prawdopodobnie nadejdą, nawet jeśli szli po kogoś innego. Chłopcy słyszeli chrzęst żwiru pod kołami samochodów na dworze, skrzypienie otwieranych drzwi, ciężkie kroki na schodach. Słyszeć znaczyło też widzieć – jaskrawe machnięcia pędzla na płótnie umysłu. Tańczyły światła latarek. Tamci wiedzieli, gdzie znajdują się łóżka – prycze stały zaledwie pół metra od siebie, a po przypadkach, gdy dopadli niewłaściwych, pilnowali się, aby więcej nie zaszła taka pomyłka. Wzięli Lonniego i Czarnego Mike'a, wzięli Coreya, no i Elwooda też zgarnęli.

Nocnymi gośćmi byli Spencer i sekcyjny o nazwisku Earl, wielki i szybki, co pomagało, gdy wybrany chłopak załamywał się w jednej z sal i trzeba go było naprostować, żeby interwencja potoczyła się dalej właściwym torem. Samochodami były stanowe brązowe chevrolety, które za dnia gniotły kołami ziemię w służbie różnych prostych spraw, a nocą stawały się zwiastunami zła. Spencer wiózł Lonniego i Czarnego Mike'a, a Earl – Elwooda i Coreya, który płakał przez całą noc.

Przy kolacji nikt nie rozmawiał z Elwoodem, jakby można było się zarazić tym, co go czekało. Niektórzy szeptali, kiedy przechodził obok: „Co za kretyn", a tamte trzy' łobuzy rzucały mu gniewne spojrzenia, głównie jednak wyczuwało się ciężką atmosferę zagrożenia i niepokoju, która prysła dopiero, gdy chłopców zabrano. Wtedy pozostali mogli się wreszcie odprężyć, niektórzy nawet potrafili zasnąć.

Przy zgaszonych światłach Desmond szepnął do Elwooda, że jak już się zacznie, najlepiej się nie ruszać. W pasku był zadzior, który zahaczał i orał ciało, jeśli nie zachowywałeś spokoju. Potem w samochodzie Corey odmawiał mantrę:

„Mają mnie i się nie ruszam. Mają mnie i się nie ruszam", czyli może to była prawda.

Po udzieleniu rady Desmond zamilkł, więc Elwood nie spytał go, ile razy tam był.

Biały Dom wykorzystywano wcześniej jako skład narzędzi. Zaparkowali za budynkiem, po czym Spencer i jego człowiek wprowadzili chłopców od tyłu. To wejście nazywano „czyśćcem". W swoim olbrzymim pęku kluczy Spencer szybko znalazł właściwy i otworzył dwie kłódki. Jadąc drogą od frontu, człowiek ledwo zaszczyciłby ten budynek spojrzeniem. Smród był okropny – mocz i coś innego, co wsiąkło w beton. W korytarzu bzyczała pojedyncza naga żarówka. Spencer i Earl poprowadzili chłopców obok dwóch cel do pomieszczenia z przodu, gdzie stały skręcone razem śrubami krzesła oraz stół.

Tam właśnie znajdowały się drzwi wejściowe. Elwood pomyślał o ucieczce. Nie uciekł. Biały Dom był odpowiedzią na pytanie, dlaczego dokoła poprawczaka nie ma muru, ogrodzenia ani drutu kolczastego, dlaczego tak niewielu uciekało. To był właśnie mur, który trzymał ich na miejscu.

Na pierwszy ogień poszedł Czarny Mike.

– Myślałem, że się ogarniesz po ostatnim razie – powiedział Spencer.

– Znowu się zeszczał – zauważył Earl.

Rozległ się ryk, monotonne wycie. Krzesło Elwooda drżało od wibracji. Nie mógł się zorientować, co się dzieje – działała jakaś maszyna – ale hałas był tak wielki, że zagłuszał nawet wrzaski Mike'a i świst pasa chlastającego ciało. Mniej więcej w połowie Elwood zaczął liczyć, bo doszedł do wniosku, że jeśli dowie się, ile dostali inni, to będzie wiedział, co czeka jego. Chyba że stosowano bardziej skomplikowany system: recydywista, podżegacz, zwykły gap. Nikt nie spytał Elwooda o jego wersję wydarzeń, a przecież on próbował tylko przerwać bójkę w łazience – ale może za interweniowanie oberwie mniej? Bicie ustało dopiero wtedy, gdy doliczył do dwudziestu ośmiu. Zawlekli Czarnego Mike'a do samochodu.

Corey ciągle łkał, więc po powrocie Spencer kazał mu zamknąć pierdoloną jadaczkę. Wzięli Lonniego, dostał około sześćdziesięciu. Nie można było zrozumieć, co Spencer i Earl mówią tam do niego, wyglądało jednak na to, że chłopak potrzebuje więcej napomnień i mocniejszego pouczenia niż jego kolega.

Wzięli Coreya i wtedy Elwood zauważył, że na stole leży Biblia.

Corey zaliczył około siedemdziesięciu – Elwood kilka razy pogubił się w liczeniu – a to nie miało sensu, no bo dlaczego gnojony był karany bardziej niż gnojący? Teraz już stracił rozeznanie, co go czeka. Bez sensu. Może oni też pogubili się w liczeniu? Może w tym stosowaniu przemocy nie było żadnego systemu i nikt, ani karani, ani karzący, nie wiedział, co się dzieje i dlaczego.

Potem przyszła kolej na Elwooda. Dwie cele znajdowały się naprzeciwko siebie, po obu stronach korytarza. W karcerze leżały zakrwawiony siennik i poduszka, która zamiast poszewki miała mozaikę plam po wszystkich wciśniętych w nią ustach. Poza tym: gigantyczny przemysłowy wentylator, który był źródłem hałasu, tego ryku roznoszącego się po całym terenie poprawczaka, dalej, niż wyjaśniałyby to prawa fizyki. Jego pierwotnym przeznaczeniem była pralnia – latem te stare urządzenia rozpętywały piekło – ale po jednej z okresowych reform, kiedy władze stanu wprowadziły nowe zasady stosowania kar cielesnych, ktoś wpadł na genialny pomysł, żeby przenieść go właśnie tutaj. Rozbryzgi krwi na ścianach, niesione przez podmuchy wentylatora. Obowiązywała jakaś przedziwna akustyka, bo wentylator zagłuszał wrzaski chłopców, zarazem tuż obok słychać było wyraźnie polecenia kadry:

„Trzymaj się poręczy, nie puszczaj. Jęknij tylko, a oberwiesz jeszcze więcej. Zamknij mordę, czarnuchu".

Pas miał około metra długości i był zakończony drewnianą rękojeścią. Jeszcze przed nastaniem Spencera nazywali to narzędzie Czarną Ślicznotką, chociaż ten, który nadzorca trzymał teraz w ręce, nie był oryginalny. Raz na jakiś czas Czarną Ślicznotkę trzeba było naprawiać albo zastępować nową. W wymachu pas najpierw chlastał sufit i dopiero potem spadał z całą mocą na nogi, więc była wyraźna zapowiedź uderzenia, a sprężyny w łóżku skrzypiały za każdym razem. Elwood trzymał się kurczowo wezgłowia i gryzł poduszkę, stracił jednak przytomność, zanim skończyli, więc gdy potem go pytano, ile cmoków zaliczył, nie umiał odpowiedzieć.

# Rozdział siódmy

— — — — — — — — — —

Harriet rzadko żegnała się jak należy ze swoimi bliski-mi. Jej ojciec zmarł w więzieniu po tym, gdy biała dama ze śródmieścia oskarżyła go, że nie ustąpił jej miejsca na chod-niku. „Bezczelny kontakt", jak zdefiniowano to w prawie. Tak to było w dawnych czasach. Czekał na przesłuchanie przed obliczem sędziego, ale znaleziono go powieszonego w celi. Nikt nie wierzył w wersję policji. „Czarnuchy i kry-minał – powiedział wuj. – Czarnuchy i kryminał". Dwa dni wcześniej Harriet pomachała do ojca na ulicy, kiedy wra-cała ze szkoły. Wtedy widziała go po raz ostatni. Jej wielki wesoły tata idący do drugiej pracy.

Z kolei mąż Harriet, Monty, oberwał w głowę krzesłem, gdy próbował rozdzielić awanturników u Miss Simone. Kilku kolorowych szeregowców z Camp Gordon Johnston pokłóciło się z bandą białych wsiochów z Tallahassee o to, czyja wypadła kolej przy stole bilardowym. Skończyło się śmiercią dwóch osób. Jedną z nich był Monty, bo wmieszał się, żeby ochronić zmywarkę Simone przed trzema białymi mężczyznami. Syn Simone ciągle przysyłał Harriet pocztówki na Boże Narodzenie. Jeździł taksówką w Orlando i miał troje dzieci.

Pożegnała się jak należy ze swoją córką Evelyn i zięciem Percym tego wieczoru, gdy wyjechali. Percy miał zaległy od lat urlop, ale Harriet nie przewidziała, że zabierze ze sobą Evelyn. Zrobił się za duży na to miasto, odkąd przyjechał z wojny. Służył na Pacyfiku, dbał o zaopatrzenie za linią frontu.

Wrócił jako zły człowiek. Ale nie z powodu tego, co widział za oceanem, lecz z powodu tego, co zastał w ojczyźnie. Kochał wojsko, dostał nawet pochwałę za list, który napisał do swojego kapitana w sprawie złego traktowania kolorowych żołnierzy. Być może jego życie potoczyłoby się inaczej, gdyby rząd Stanów Zjednoczonych otworzył kraj na awans czarnoskórych obywateli, tak samo jak otworzył wojsko. Ale co innego pozwolić komuś, żeby zabijał w naszym imieniu, a co innego pozwolić, żeby mieszkał po sąsiedzku. Ustawa o weteranach w dużym stopniu ułatwiła życie białym żołnierzom, z którymi służył Percy, ale mundur oznaczał różne rzeczy w zależności od tego, kto miał go na grzbiecie. Jaki sens ma nieoprocentowana pożyczka, skoro bank opanowany przez białych nie pozwala ci przekroczyć jego progu? Percy pojechał do Milledgeville, żeby odwiedzić kumpla z oddziału, i wtedy jakieś białasy wszczęły awanturę. Zatrzymał się po benzynę w jednym z tych małych miasteczek. Miasto białych tłuków, co tłuką czarnych. Ledwo uszedł z życiem – wszyscy wiedzieli, że białe chłopaki linczują czarnych w mundurach, ale nigdy nie pomyślał, że sam może się stać celem takiego ataku. On nie. Banda białych, zazdrosnych, że nie mają mundurów, bojących się świata, który pozwala nosić mundur czarnym.

Evelyn wyszła za niego. Zawsze miała taki zamiar, jeszcze kiedy byli małymi dziećmi. Narodziny Elwooda w żadnej mierze nie poskromiły dzikości Percy'ego: kukurydziana whiskey i wieczory w zajazdach, awanturnictwo, które wniósł do ich domu przy Brevard Street. Evelyn była słabą istotą – w obecności Percy'ego kuliła się, zredukowana do roli dodatku, jego trzeciej ręki lub nogi. Drugich ust. Kazał Evelyn powiedzieć matce, że wyjeżdżają, by spróbować szczęścia w Kalifornii.

– Jacy ludzie wyjeżdżają w środku nocy do Kalifornii? – spytała Harriet.

– Muszę się spotkać z kimś, kto może nam coś nagrać – odparł Percy.

Harriet sądziła, że powinni obudzić chłopca.

– Niech śpi – odpowiedziała Evelyn.

To były ostatnie słowa, które Harriet od nich usłyszała.

Jeśli córka kiedykolwiek nadawała się do macierzyństwa, to nigdy tego nie okazała. Jej spojrzenie, gdy karmiła piersią Elwooda – smutne puste oczy patrzące przez ściany, wprost w nicość – mroziło Harriet krew w żyłach, ilekroć je sobie przypominała.

Ale najgorsze pożegnanie było wtedy, gdy konwojent sądowy przyjechał po Elwooda. Od tak dawna żyli tylko we dwoje. Powiedziała wnukowi, że ona i pan Marconi dopilnują, aby adwokat dalej zajmował się sprawą. Pan Andrews pochodził z Atlanty, typ młodego białego krzyżowca, który wyjechał studiować na północ i wrócił odmieniony. Harriet nie wypuściła go z domu, jeśli czegoś nie przekąsił. Okazywał przesadę w pochwałach jej wypieków i wyrażaniu optymizmu co do losów Elwooda.

Jakoś się wydostaniemy z tej gęstwiny cierni, powiedziała Harriet do wnuka i obiecała, że odwiedzi go w Miedziaku w najbliższą niedzielę. Ale gdy się zjawiła, oznajmiono jej, że Elwood jest chory i nie może przyjmować wizyt.

Spytała, co się stało.

– A skąd, u licha, mam wiedzieć, paniusiu – odparł pracownik Miedziaka.

Na krześle obok łóżka szpitalnego, w którym leżał Elwood, wisiały nowe spodnie drelichowe. Wskutek chłosty włókna ze starych wbiły mu się w ciało i lekarz potrzebował dwóch godzin, żeby wszystkie pousuwać. Był to obowiązek, który musiał wykonywać od czasu do czasu. Pincetka załatwiła sprawę. Chłopiec miał zostać w szpitalu, dopóki nie będzie mógł chodzić bez odczuwania bólu.

Gabinet lekarski znajdował się obok pokojów badań i to w nim właśnie doktor Cooke palił cygara i cały dzień nękał swoją żonę przez telefon, utyskując na brak pieniędzy i jej nic niewartych krewnych. Kartoflana woń cygara wypełniająca oddział tłumiła odór potu, wymiocin i zaparzonej skóry, a o świcie, kiedy Cooke zjawiał się, żeby ponownie okadzić to miejsce, zaczynała się ulatniać. Ze śmiertelną powagą otwierał kluczem szklaną szafkę pełną buteleczek i pudełek z lekarstwami, ale wyjmował z niej wyłącznie duży kubeł aspiryny.

W szpitalu Elwood cały czas przeleżał na brzuchu. Z oczywistych powodów. Szpital wciągnął go w swój rytm. Przez większość dni dokoła krążyła gderająca siostra Wilma, czerstwa obcesowa kobieta, trzaskająca szufladami i drzwiami szafek. Włosy chowała pod siatką koloru rabarbarowego, a policzki malowała różem, tak że przypominała Elwoodowi upiorną lalkę, która ożyła, wyjęta z komiksu. *Krypta grozy*, *Lochy zgrozy*, czytane w świetle padającym z lufcika na poddaszu u kuzyna. Zauważył, że w horrorach stosuje się dwa rodzaje kary – całkowicie niezasłużoną dla niewinnych oraz usprawiedliwioną dla nikczemników. Swoją obecną niedolę przyporządkował do pierwszej kategorii i czekał na nowy rozdział opowieści.

Siostra Wilma okazywała wielką, prawie matczyną serdeczność białym chłopcom, którzy przybywali do szpitala z różnymi obrażeniami i dolegliwościami. Nie miała natomiast ani jednego dobrego słowa dla czarnych. Kaczka Elwooda była wyjątkowym afrontem – pielęgniarka patrzyła na nią, jakby się zeszczał na jej wyciągnięte ręce. Niejeden raz w jego buntowniczych snach to właśnie do niej należała twarz kelnerki, która odmawiała obsłużenia go w restauracji, czy zaplutej gospodyni klnącej jak szewc. Śniło mu się, że wyszedł już z Miedziaka i uczestniczy w demonstracji, a to dodawało mu otuchy każdego ranka po przebudzeniu. Jego umysł wciąż potrafił się przenosić w czasoprzestrzeni.

Pierwszego dnia w szpitalu był jeszcze tylko jeden chłopiec, leżący w łóżku za składanym parawanem na drugim końcu oddziału. Kiedy siostra Wilma albo doktor Cooke zajmowali się nim, zaciągali parawan, a kółka skrzypiały na białych kafelkach. Zagadywany, pacjent nigdy nie odpowiadał, ale głosy personelu miały wesoły ton, którego brakowało, gdy rozmawiano z innymi chłopcami. Tamten musiał być albo przypadkiem śmiertelnym, albo królewiczem. Żaden z trafiających na oddział uczniów nie wiedział, kto to jest ani dlaczego tu wylądował.

Obsada chłopców się zmieniała. Elwood poznał kilku białych, których inaczej by nie poznał. Podopieczni władz stanowych, sieroty, uciekinierzy, którzy byli na gigancie, żeby uwolnić się od swoich matek, dostarczających mężczyznom rozrywek za pieniądze, albo od zapijaczonych ojców, w środku nocy wpadających do ich pokojów. Niektórzy byli niezłymi zawodnikami. Kradli pieniądze, klęli na swoich nauczycieli, niszczyli własność społeczną, opowiadali historie o krwawych jatkach w klubach bilardowych i o wujach sprzedających bimber. Trafili do Miedziaka za przestępstwa, o których Elwood nigdy nie słyszał: symulanctwo, włóczęgostwo, niereformowalność. Oni sami też nie rozumieli tych słów, ale po co rozumieć, skoro wnioski są jasne? Jazda do Miedziaka. „Zgarnęli mnie za to, że spałem w garażu, bo nie chciałem zmarznąć". „Ukradłem nauczycielowi pięć dolców". „Jednego wieczoru wypiłem butelkę syropu na kaszel i mi odbiło". „Byłem na gigancie, próbowałem sobie jakoś radzić".

– Rany boskie, nieźle cię załatwili – mówił doktor Cooke za każdym razem, gdy zmieniał Elwoodowi opatrunki.

Chłopak nie chciał patrzeć, ale musiał. Zerknął na swoje uda, na których szkarłatne pręgi po zadanych od tyłu uderzeniach pełzały jak makabryczne palce. Doktor Cooke podał mu aspirynę i wycofał się do swojego gabinetu. Pięć minut później sprzeczał się z żoną o jej niezaradnego kuzyna, który potrzebował pożyczki, żeby sfinansować jakieś przedsięwzięcie.

W środku nocy zasmarkany koleżka obudził Elwooda i ten nie mógł już potem zasnąć, czując pieczenie i swędzenie pod bandażami.

Tydzień po przyjęciu do szpitala otworzył oczy i zobaczył Turnera na łóżku po drugiej stronie. Rozedrganego, pogwizdującego radośnie temat z serialu *Andy Griffith Show*. Chłopak potrafił świetnie gwizdać i do końca ich znajomości jego występy stanowiły muzyczne tło, podkreślające nastrój eskapady albo stanowiące świszczący kontrapunkt.

Turner odczekał, aż siostra Wilma pójdzie na papierosa, po czym wyjaśnił przyczynę swojego pobytu w szpitalu:

– Pomyślałem, że przydałyby mi się wakacje. – Zjadł trochę mydła w proszku, żeby się rozchorować; godzina bólu brzucha za cały wolny dzień. Albo dwa, bo wiedział, jak udawać. – W skarpetce schowałem więcej – dodał.

Elwood uciekł do swoich myśli.

– Jak ci się widzi ten lekarz? – spytał później Turner.

Doktor Cooke akurat zmierzył temperaturę białemu chłopakowi w głębi korytarza, spuchniętemu i jęczącemu jak krowa. Zadzwonił telefon, lekarz wcisnął więc tamtemu dwie aspiryny w rękę i pognał do gabinetu.

Turner podjechał do Elwooda. Terkotał teraz po oddziale na jednym ze starych wózków inwalidzkich dla chorych na polio.

– Jakby cię tu przywieźli z urwanym łbem, to też dałby ci aspirynę.

Elwood nie chciał chichotać, bo czuł się, jakby lekceważył własne cierpienie, nie mógł się jednak powstrzymać. Miał spuchnięte jądra, gdyż podczas wymierzania kary pas zawinął się między nogami i trafił go w krocze, więc ze śmiechu coś go tam szarpnęło dotkliwie i znów odezwał się ból.

– Przywożą czarnucha – ciągnął Turner – obcięty łeb, obcięte obie nogi, ręce, a ten pierdolony konował pyta go, czy chce jedną, czy dwie tabletki.

Przełamał opór zablokowanych kółek i pojechał dalej.

Nie było nic do czytania oprócz „Aligatora", szkolnego pisemka, oraz folderu upamiętniającego pięćdziesięciolecie założenia poprawczaka, oba wydrukowane tutaj, w Miedziaku. Wszyscy chłopcy na wszystkich zdjęciach uśmiechali się radośnie, ale Elwood, choć był tu od niedawna, dostrzegał już charakterystyczną martwotę w ich oczach. Podejrzewał, że teraz, kiedy wsiąkł na całego, wygląda podobnie. Obrócił się ostrożnie na bok i wsparty na łokciu, przeczytał broszurę kilka razy.

Władze stanowe otworzyły zakład w 1899 roku jako Florydzką Szkołę Przemysłową dla Chłopców. „Był to zakład poprawczy ze szkołą, gdzie młody przestępca, odseparowany od swoich nikczemnych wspólników, mógł odebrać naukę o charakterze fizycznym, intelektualnym i moralnym, zostać zrehabilitowany i przywrócony społeczeństwu, wyrobiwszy w sobie determinację i charakter odpowiednie dla dobrego obywatela, zacnego i uczciwego człowieka, mającego fach lub umiejętności, które pozwalają mu zatroszczyć się o swoje utrzymanie". Chłopców nazywano „uczniami", a nie „osadzonymi", aby odróżnić

105

ich od agresywnych przestępców zaludniających więzienia. Tutaj, dodał Elwood w myśli, agresywni przestępcy są zatrudnieni jako personel.

Zaraz po otwarciu szkoła przyjmowała nawet pięciolatków – ta informacja doprowadziła Elwooda do rozpaczy, gdy próbował zasnąć: wszystkie te bezradne dzieci. Pierwsze tysiąc akrów podarowały władze stanowe, a z biegiem lat tutejsi mieszkańcy hojnie ofiarowali kolejne czterysta. Miedziak dzielnie zarabiał na swoje utrzymanie. Postawienie drukarni okazało się wielkim sukcesem pod każdym względem. „Tylko w 1926 roku drukarnia osiągnęła zysk w wysokości 250 000 dolarów, nie wspominając o tym, że uczniowie wyuczyli się użytecznego fachu, któremu mogli się poświęcić po odbyciu kary". Ceglarka wytwarzała dwadzieścia tysięcy cegieł dziennie; jej uruchomienie zaowocowało nowymi budynkami w całym okręgu Jackson, małymi i dużymi. Coroczna szkolna wystawka ozdób bożonarodzeniowych, obmyślonych i wykonanych przez uczniów, przyciągała ciekawskich z bardzo daleka. Za każdym razem gazeta przysyłała reportera.

W 1949 roku, a więc w roku wydrukowania broszury, poprawczak przemianowano na cześć Trevora Nickela, reformatora, który przejął w nim rządy kilka lat wcześniej. Nazwisko pasowało idealnie. Nickel, pięciocentówka, nędzna jak miedziana moneta. Chłopcy twierdzili, że ich życie nie jest warte nawet pięciu centów, więc zaczęli regularnie nazywać poprawczak Miedziakiem. Czasem mijali wiszący w sieni portret Trevora Nickela – dawny nadzorca marszczył czoło, jakby odgadł ich niecne zamiary. Nie, nie tak, raczej jakby wiedział, że wiedzą, co on myśli.

Gdy następnym razem w szpitalu wylądował chory na grzybicę chłopak z Cleveland, Elwood poprosił go, żeby przyniósł mu książki do poczytania. Ten przytaszczył stos wyświechtanych podręczników, które czystym przypadkiem złożyły się na spójny kurs o siłach natury: ścieranie się płyt tektonicznych, łańcuchy górskie wysadzone w niebo, wybuchy wulkanów. To, co się kotłuje pod spodem, żeby stworzyć świat na wierzchu. Były to opasłe tomy z olśniewającymi ilustracjami, czerwonymi i pomarańczowymi, w przeciwieństwie do posępności i zszarzałej bieli szpitala.

Drugiego dnia pobytu Turnera Elwood przyłapał go na wyciąganiu złożonej tekturki ze skarpetki. Chłopak połknął zawartość i godzinę później wył z bólu. Nadbiegł doktor Cooke i Turner zrzygał mu się na buty.

– Zakazałem ci przecież jeść – powiedział lekarz. – Rozchorujesz się od tego, co tu podają.

– To co mam jeść?

Cooke tylko zamrugał.

Gdy Turner skończył ścierać wymiociny, Elwood zapytał:

– Boli cię brzuch?

– No pewnie, człowieku. Jednak nie chce mi się dziś

pracować. Te łóżka są niewygodne jak cholera, ale przynajmniej można się porządnie kimnąć, jak się do nich dopasujesz.

Tajemniczy chłopak za parawanem westchnął ciężko, aż Elwood i Turner podskoczyli ze strachu. Z reguły zachowywał się cicho, więc zapomnieli o jego obecności.

– Ej – odezwał się Elwood. – Jesteś tam?

– Pst – upomniał go Turner.

Zapadła cisza, nie słychać było nawet szelestu pościeli.

– Idź zajrzeć – powiedział Elwood. Coś się wyklarowało, poczuł się tego dnia lepiej. – Zobacz, kto to. Spytaj, co mu jest.

Turner popatrzył na niego jak na wariata.

– A gówno, nikogo nie będę pytał.

– Cykasz się? – rzucił Elwood, jak chłopaki z Tallahassee, gdy nabijali się z siebie nawzajem.

– Cholera, bo to wiadomo? Zajrzysz tam i może zaraz trzeba się będzie z nim zamienić miejscami. Jak w tych historiach o duchach.

Tego wieczoru siostra Wilma została na dyżurze do późna, bo czytała chłopakowi za parawanem. Biblię, pieśni religijne – brzmiało to jak gadka ludzi, którzy mają gębę pełną Boga.

Łóżka były zajęte, potem się zwalniały. Oddział wypełniła woń skwaśniałych brzoskwiń z puszki. Zabrakło łóżek, więc spali na waleta, wydając z siebie gazy i gulgot.

Odwracane sienniki. Kijanki, tropiciele i pilni pionierzy. Kontuzjowani, zarażeni, udający chorych i chorzy. Ukąszenie przez pająka, skręcona kostka, odcięta w ładowarce opuszka palca. Wizyta w Białym Domu. Świadomi, że zaliczył tam pobyt, przestali traktować go z dystansem. Był teraz jednym z nich.

Zbrzydło mu gapienie się na nowe spodnie powieszone na krześle. Złożył je i wcisnął pod siennik.

Przez cały dzień w gabinecie doktora Cooke'a grało radio, rywalizując z hałasem z warsztatu po sąsiedzku – piły elektryczne, stal zgrzytająca o stal. Lekarz uważał, że radio pełni funkcję terapeutyczną. Siostra Wilma nie widziała powodu, żeby rozpieszczać chłopców. *Don McNeill's Breakfast Club*, kaznodzieje i audycje cykliczne, słuchowiska, które lubiła babcia Elwooda. Problemy białych ludzi przedstawiane w produkcjach radiowych wydawały się odległe, należały do innego świata. Ale teraz były jazdą powrotną do Frenchtown.

Elwood od lat nie słuchał *Amos 'n' Andy*. Babcia wyłączała radio, gdy to słuchowisko było na antenie, z tą karuzelą malapropizmów i poniżających nieszczęść. „Biali lubią takie rzeczy, ale my nie musimy tego słuchać". Ucieszyła się, gdy przeczytała w „Defenderze", że audycję zdjęto z anteny. Radiostacja w okolicy Miedziaka nadawała stare odcinki – nawiedzone transmisje. Nikt nie dotykał pokrętła, gdy odgrzewano stare kotlety, a wszyscy śmiali się z wybryków Amosa i Kingfisha, tak samo biali, jak i czarni chłopcy. „O święta makrelo!"

Jedna z radiostacji puszczała czasem motyw z *The Andy Griffith Show*, a wtedy Turner gwizdał do wtóru.

– Nie boisz się, że skapują, że udajesz? – spytał Elwood. – Bo gwiżdżesz sobie wesoło.

– Przecież nie udaję. To mydło w proszku jest okropne. Ale to ja o tym decyduję, nikt inny.

Był to kretyński sposób patrzenia na sprawę, ale Elwood nic nie odpowiedział. Temat muzyczny zagnieździł mu się w głowie. Chętnie by go zanucił albo zagwizdał, nie chciał jednak, aby wyszło, że papuguje. Ta melodia była małym cichym kawałkiem Ameryki wystruganym z całej reszty. Żadnych protestów, polewania wodą z węży strażackich ani potrzeby wzywania Gwardii Narodowej. Przyszło mu do głowy, że nigdy nie widział żadnego Murzyna w małym miasteczku Mayberry, gdzie osadzono akcję słuchowiska.

Człowiek w radiu obwieścił, że Sonny Liston będzie walczył z pretendentem, który nazywał się Cassius Clay.

– Kto to? – spytał Elwood.

– Jakiś czarnuch, co go znokautują – odpowiedział Turner.

Po południu Elwood zapadł w drzemkę, gdy nagle sparaliżował go hałas – zabrzęczały klucze jak dzwonki wiatrowe. Na oddział wszedł Spencer, żeby porozmawiać z lekarzem. Chłopak czekał na dźwięk pasa skrobiącego sufit tuż przed chlaśnięciem... Potem nadzorca się oddalił i odgłosy z radia znowu zawładnęły przestrzenią. Elwood miał pościel mokrą od potu.

– Robią tak ze wszystkimi? – spytał Turnera po lunchu.

Siostra Wilma rozniosła kanapki z szynką i wodnisty sok grejpfrutowy, białym w pierwszej kolejności.

Zapytał tak ni z tego, ni z owego, ale Turner połapał się, o co mu chodzi. Podjechał na wózku, z lunchem na kolanach.

– Nie aż tak jak z tobą – odparł. – Nie tak mocno. Ja nigdy tam nie wylądowałem. Dostałem raz po gębie za palenie.

– Mam adwokata. Mógłbym coś z tym zrobić.

– I tak ci się upiekło.

– Jak to upiekło?

Jednym siorbnięciem Turner dopił sok.

– Bo czasami biorą kogoś za dupę do Białego Domu i znika na zawsze.

Oprócz ich głosów i jazgotu piły w warsztacie obok na oddziale panowała cisza. Elwood nie chciał wiedzieć tego, o co spytał.

– Rodzina takiego pyta szkołę, co się stało, a ci odpowiadają, że uciekł – ciągnął Turner. Upewnił się, że biali chłopcy nie patrzą. – Problem w tym, Elwood, że nie wiesz, jak to działa. Corey i te dwa ancymony na przykład. Chciałeś strugać jedynego sprawiedliwego, nadbiec i uratować czarnucha. Dawno go scwelowali. Ci trzej bez przerwy odgrywają ten sam cyrk. Corey nawet to lubi. Udają ostrych, a potem on bierze ich do boksu albo coś i osuwa się na kolana.

– Przecież widziałem jego twarz. Bał się.

– Nie masz pojęcia, co go kręci – odparł Turner. – Co kręci kogokolwiek. Kiedyś myślałem, że tam na zewnątrz to jest tam na zewnątrz, a tutaj to tutaj. Że wszyscy w Miedziaku są inni właśnie dlatego, że pobyt tutaj tak na nich działa. Spencer i reszta też. Może za murami, na wolności, to całkiem przyzwoici ludzie? Uśmiechają się. Są mili dla swoich dzieciaków. – Wykrzywił wargi, jakby ssał spróchniały ząb. – Ale potem byłem na wolności i ściągnęli mnie z powrotem, i wiem, że tu nie ma niczego, co by zmieniało ludzi. Tu i tam jest tak samo, różnica tylko taka, że tutaj już nikt nie musi udawać.

Mówił naokoło, wszystko wracało do punktu wyjścia.

– To wbrew prawu – powiedział Elwood.

Prawu stanowemu, ale także prawu Elwooda. Skoro wszyscy odwracają wzrok, to są współodpowiedzialni. Jeśli on też by tak postępował, byłby współwinny, jak cała reszta. Tak to widział, od zawsze.

Turner milczał.

– To nie powinno tak być – dodał Elwood.

– Wszyscy mają w dupie, jak powinno być. Jak wskazujesz Czarnego Mike'a i Lonniego, to wskazujesz wszystkich, którzy na to pozwalają. Wsypujesz wszystkich.

– No właśnie. – Elwood powiedział o swojej babci i adwokacie, panu Andrewsie. Doniosą na Spencera, Earla i wszystkich, którzy mają za uszami. Jego nauczyciel, pan Hill, jest aktywistą. Brał udział we wszystkich demonstracjach, a po wakacjach nie wrócił do liceum Lincolna, bo organizował protesty. Elwood napisał do niego o swoim aresztowaniu, ale nie miał pewności, czy list doszedł. Pan Hill zna ludzi, którzy chętnie ujawniliby prawdę o takim miejscu jak Miedziak, gdy już się z nim skontaktują. – Czasy się zmieniły – dodał. – Teraz możemy się temu przeciwstawić.

– Pierdolenie. Tam niewiele mogą zdziałać, to jak myślisz, co zdziałaliby tutaj?

– Mówisz tak, bo tam nie ma nikogo, kto by cię wziął w obronę.

– To prawda – przyznał Turner. – Ale to nie znaczy, że nie widzę, jak to wygląda. Może właśnie dlatego widzę wyraźniej. – Skrzywił się, bo mydło w proszku go przycisnęło. – Klucz do przetrwania tutaj jest taki sam jak do przetrwania tam. Musisz się rozeznać, jak postępują inni, a potem wymyślić, jak ich wycyckać, pokonać, jak tor przeszkód. Jeśli chcesz stąd wyjść.

– Zakończyć naukę – sprostował Elwood.

– Wyjść – powtórzył Turner. – Myślisz, że dasz radę? Że

będziesz podglądał i kombinował? Nikt cię stąd nie wyciągnie, licz tylko na siebie.

Nazajutrz doktor Cooke zaaplikował mu dwie aspiryny i ponownie zakazał jeść. Wtedy na oddziale leżał już tylko Elwood. Parawan, który zasłaniał bezimiennego chłopca, przesunięto do kąta i złożono na płask. Łóżko było puste. Chłopak zniknął w nocy, nie budząc nikogo.

Elwood zamierzał iść za radą Turnera, serio, ale potem zobaczył swoje nogi. To go załamało na pewien czas.

Przeleżał w szpitalu jeszcze pięć dni, a potem wrócił do chłopaków. Do szkoły i pracy. Pod wieloma względami był teraz jednym z nich, między innymi w praktykowaniu milczenia. Gdy babcia przyjechała w odwiedziny, nie potrafił jej powiedzieć, co zobaczył, kiedy po zdjęciu opatrunków przez doktora Cooke'a ruszył po zimnych kafelkach do łazienki. Popatrzył wtedy na siebie i zrozumiał, że serce Harriet nie zniosłoby prawdy, a do tego dochodził własny wstyd, że sam to spowodował. Oddalił się od babci tak bardzo jak wszyscy z rodziny, którzy odeszli, choć siedział naprzeciwko. Podczas odwiedzin powiedział jej, że jest zdrowy, tylko smutny, że nie jest łatwo, ale jakoś sobie radzi, a przecież najbardziej na świecie chciał powiedzieć: „Zobacz, babciu, co oni ze mną zrobili. Zobacz, co ze mną zrobili".

# Rozdział ósmy

--------

Po wyjściu ze szpitala wrócił do ekipy porządkowej. Meksykanina Jaimiego znowu zaliczyli do białych, więc zespołem kierował inny chłopak. Niejeden raz Elwood przyłapywał się na tym, że zbyt gwałtownie macha kosą, jakby atakował trawę skórzanym pasem. Zastygał wtedy i mówił sercu, żeby się uspokoiło. Dziesięć dni później Jaimie ponownie wylądował wśród kolorowych – Spencer go przeniósł – ale nie miał nic przeciwko temu.

– Takie moje życie, ping-pong.

Elwood nie miał szans na dobrą naukę, musiał to zaakceptować. Przed budynkiem szkoły podszedł do pana Goodalla i dotknął jego ramienia. Nauczyciel nie poznał go w pierwszej chwili. Ponownie obiecał, że znajdzie mu bardziej wymagające zajęcie, ale Elwood już go rozgryzł, więc przestał prosić. W końcu listopada wysłano go z ekipą do sprzątania piwnicy szkolnej, a tam, pod pudłami pełnymi kalendarzy z 1954 roku, znalazł kolekcję brytyjskiej klasyki Chipwicka. Trollope i Dickens i inni o podobnych nazwiskach. W trakcie godzin lekcyjnych przeczytał wszystko po kolei, gdy inni chłopcy dokoła jąkali się i zacinali. Wcześniej zamierzał studiować literaturę angielską w college'u. Teraz pozostawało mu uczyć się samemu. To musiało wystarczyć.

W wizji świata wyznawanej przez Harriet istotną rolę odgrywała kara za wywyższanie się ponad swój stan. Leżąc w szpitalu, Elwood zastanawiał się, czy okrucieństwo wymierzonej mu chłosty było odwetem za to, że chciał zdobyć lepsze wykształcenie. „Dorwiemy zuchwałego czarnucha". Teraz obrabiał w głowie nową teorię: brutalnym życiem w Miedziaku nie rządzą żadne zasady, oprócz ślepej mściwości, która nie ma nic wspólnego z konkretnymi ludźmi. Przylgnął do niego okruch z lekcji w dziesiątej klasie: machina wiecznej niedoli, napędzająca sama siebie, bez ludzkiej ingerencji. I Archimedes, jedno z pierwszych odkryć encyklopedycznych. Przemoc jest jedyną dostatecznie silną dźwignią, by wprawiać świat w ruch.

Rozpytywał się, ale nie miał jasnego wyobrażenia, jak skończyć tutaj naukę w przyśpieszonym trybie. Desmond, znawca zasług i przewinień, też mu w tym nie pomógł.

– Punkty za dobre sprawowanie dostaje się co tydzień, jak robisz to, co powinieneś, bez szemrania. Ale jak wychowawca w coś cię wmiesza albo zaweźmie się na ciebie, to kicha. A z wykroczeniami to nigdy nie wiadomo.

Skala wykroczeń różniła się w zależności od internatu. Palenie, bójki, uporczywe niechlujstwo – kara zależała od tego, gdzie uczeń mieszkał, oraz od kaprysu sekcyjnego. W Cleveland bluźnierstwo miało rangę stu punktów karnych – Blakeley był bogobojnym człowiekiem – w bursie Roosevelta zaś tylko pięćdziesięciu. W internacie Lincolna masturbacja była warta dwieście punktów karnych, ale w innym miejscu przyłapany na gorącym uczynku onanista zaliczał tylko sto.

– Tylko sto?

– Poza Lincolnem – odparł Desmond, jakby opisywał egzotyczną krainę, dżiny i dinary.

Elwood zauważył, że Blakeley lubi popić. Już w południe facet był podcięty. Czy to znaczyło, że nie można polegać na ocenach wychowawcy? Powiedzmy, że człowiek unika kłopotów, pilnuje się, wszystko robi jak trzeba, no to jak szybko może się wspiąć po drabinie, od najniższego poziomu kijanki do najwyższej rangi asa?

– No wiesz, Desmond, załóżmy, że wszystko idzie idealnie.

– Skoro tu wylądowałeś, nic nie jest idealnie.

Problem polegał na tym, że jeśli nawet unikałeś kłopotów, kłopoty mogły same przyjść do ciebie i rozgościć się. Inny uczeń wyczuł w tobie słabość i zaczął się sadzić; komuś z kadry nie spodobał się twój uśmiech, więc postanowił zetrzeć ci go z twarzy. Można było zwyczajnie ugrzęznąć w gąszczu pecha, tego samego, przez którego w ogóle znalazłeś się w Miedziaku. Elwood postanowił, że do czerwca wespnie się po drabinie zasług, cztery miesiące wcześniej, niż zawyrokował to sędzia – nawykł do mierzenia czasu według szkolnego kalendarza, zatem wyjście z poprawczaka w czerwcu oznaczałoby zrównanie odsiadki ze straconym rokiem nauki. W przyszłym roku o tej samej porze wróci na zajęcia w Lincoln High School, odrobi ostatnie dwa semestry, a z poparciem pana Hilla znowu zapisze się na politechnikę. Wprawdzie pieniądze odłożone na studia wydali na adwokata, ale odkułby się, gdyby popracował następnego lata.

Wyznaczył sobie termin, teraz więc musiał wytyczyć drogę postępowania. W pierwszych dniach po wyjściu ze szpitala czuł się podle, aż wreszcie opracował strategię łączącą porady Turnera z tym, czego nauczył się od bohaterów walki o równouprawnienie. Patrz, myśl i planuj. Niechaj świat będzie wrogim tłumem – Elwood przejdzie niewzruszony przez sam jego środek. Będą go lżyć, opluwać, bić, ale on dotrze do celu. Zakrwawiony i skonany, ale dotrze.

Miał się na baczności, ale odwet ze strony Lonniego i Czarnego Mike'a nie nastąpił. Ignorowali go – poza incydentem, gdy zaatakowany bodiczkiem przez Griffa runął ze schodów. No i raz mrugnął do niego Corey, chłopak, którego próbował wtedy bronić. Wszyscy szykowali się na następną aferę – taką, na którą nie mieli wpływu.

Pewnej środy po śniadaniu sekcyjny Carter wysłał Elwooda po coś do magazynu. Był tam Turner oraz młody biały mężczyzna, przygarbiony po beatnikowemu chudzielec ze strzechą tłustych jasnych włosów. Elwood widywał go wcześniej, palącego w cieniu budynków. Na imię miał Harper, a z akt personalnych wynikało, że prowadził w Miedziaku prace społeczne. Harper zlustrował Elwooda i powiedział:

– Nada się.

Zamknął duże przesuwne drzwi magazynu, zaciągnął rygiel i wsiedli do szarej furgonetki. W odróżnieniu od innych służbowych samochodów, nie miała wymalowanej nazwy zakładu poprawczego.

Elwood usiadł w środku.

– No to jazda – odezwał się Turner. Otworzył okno. – Harper pytał, kto według mnie mógłby zastąpić Smitty'ego, to mu powiedziałem, że ty. Że nie jesteś jednym z tych głąbów, których tu na pęczki.

Smitty był starszym chłopakiem z sąsiedniego internatu Roosevelta. Tydzień wcześniej awansował na asa i zakończył naukę w Miedziaku. Elwood wciąż uważał, że określenie „zakończyć naukę" jest kretyńskie. Tamten chłopak ledwo potrafił się podpisać, to było jasne jak słońce.

– Podobno umiesz trzymać gębę na kłódkę, taki jest wymóg – powiedział Harper.

Po tych słowach wyjechali z terenu poprawczaka.

Od pobytu w szpitalu Elwood i Turner często ze sobą przebywali, zabijali czas popołudniami w świetlicy, grając w warcaby i ping-ponga z Desmondem i innymi spokojnymi chłopakami. Turner na ogół zaglądał tam, jakby czegoś szukał, po czym zaczynał coś pieprzyć bez ładu i składu, zapominając, w jakiej sprawie przyszedł. W szachy grał lepiej od Elwooda, opowiadał śmieszniejsze kawały niż Desmond, a w odróżnieniu od Jaimiego miał bardziej stabilny harmonogram. Elwood wiedział, że Turnera przydzielono do prac społecznych, ale gdy próbował go podpytać, usłyszał wymijającą odpowiedź:

– Mam dopilnować, żeby rzeczy lądowały tam, gdzie powinny.

– Co to, k… kurwa, znaczy? – prychnął Jaimie.

Nie miał naturalnego daru do przeklinania, a częste jąkanie się osłabiało efekt, jednak z całego zła, w które obfitował Miedziak, używanie wulgarnych słów przyswoił jako jeden z najlżejszych grzechów.

– To znaczy prace społeczne – odparł Elwood.

Dla Elwooda bezpośrednią konsekwencją dołączenia do pionu prac społecznych było to, że mógł przez chwilę udawać, że wtedy, w drodze na politechnikę, nie załapał się na autostop – na kilka godzin bowiem wyrywał się z Miedziaka. Od dnia przyjazdu tutaj była to jego pierwsza podróż na wolce. „Wolka" pochodziła z gwary więziennej, przeniknęła do zakładu poprawczego, bo miała sens, rozpowszechniona przez chłopca, który usłyszał ją od pechowego ojca lub wuja, a może przez pracownika, który wyjawił, co naprawdę czuje do swoich podopiecznych, pomimo szkolnej nomenklatury stosowanej w Miedziaku.

W płucach Elwood miał chłodne powietrze, a wszystko za oknem opalizowało nowością. „To czy to?", pytał okulista podczas badań kontrolnych – wybór między dwiema parami szkieł różnej mocy. Elwooda nigdy nie przestało dziwić, że można przywyknąć do widzenia tylko ułamka świata. Bez pojęcia, że postrzega się jedynie okruch rzeczywistości. „To czy to?" Zdecydowanie „to" – wszystko, co przemykało do tyłu za oknem, nagły majestat całości, nawet walące się rudery i smutne domy z pustaków, wraki samochodów między chwastami na podwórkach. Elwood zobaczył zardzewiały szyld reklamujący napój Wild Cherry Hi-C i poczuł pragnienie jak nigdy dotąd.

Harper zauważył zmianę w jego postawie.

– Lubi się wyrwać – powiedział i zaśmiał się razem z Turnerem.

Włączył radio. Śpiewał Elvis. Harper zaczął pukać do rytmu w kierownicę.

Pod względem temperamentu nie nadawał się na pracownika zakładu poprawczego.

„Niezły jak na białego", ocenił go pewnego razu Turner.

Harper wychował się na terenie Miedziaka, pod opieką ciotki, sekretarki w dziale administracji. Przez niezliczone popołudnia odgrywał rolę maskotki białych chłopców, a gdy podrósł, wykonywał różne drobne roboty. Odkąd umiał utrzymać pędzel w ręce, malował renifery na coroczne wystawki bożonarodzeniowe. Teraz miał dwadzieścia lat i pracował na pełny etat. Był kierownikiem prac społecznych.

– Ciotka mówi, że dobrze się dogaduję z ludźmi – powiedział na którejś zmianie, gdy obijali się przed sklepem z taniochą. – Chyba tak jest. Wychowałem się wśród was, chłopaki, białych i czarnych, i wiem, że jesteście tacy sami jak ja, tylko mieliście pecha w życiu.

Zrobili cztery przystanki w miasteczku Eleanor, potem zamierzali ruszyć do domu komendanta straży pożarnej. Pierwszy postój wypadł przed BI TRO – na zardzewiałym szyldzie brakowało litery. Zaparkowali w zaułku i Elwood przyjrzał się ładunkowi w furgonetce: pudła i skrzynki z kuchni Miedziaka. Groszek konserwowy, wielkie puszki brzoskwiń, mus jabłkowy, fasola w sosie pomidorowym. Wybór cotygodniowych dostaw od stanu Floryda.

Harper zapalił papierosa i przyłożył ucho do radia tranzystorowego: tego dnia był quiz. Turner zaczął podawać Elwoodowi pudełka fasolki szparagowej i worki cebuli, po czym wnieśli wszystko tylnym wejściem do kuchni w barze.

– Nie zapomnijcie o melasie – rzucił Harper.

Gdy skończyli, pojawił się właściciel – spasiony wsioch w fartuchu, który był palimpsestem ciemnych plam –

i poklepał Harpera po plecach. Podał mu kopertę i spytał o zdrowie rodziny.

– Wie pan, jaka jest ciotka Lucille. Ma oszczędzać nogi, ale nie potrafi usiedzieć na miejscu.

Dwoma kolejnymi przystankami również była gastronomia – grill i smażalnia mięsa przy granicy stanowej. Potem wyładowali zapas warzyw konserwowych przed spożywczakiem. Każdą kopertę z pieniędzmi Harper składał na pół i spinał gumką, po czym wrzucał do schowka w furgonetce i ruszali dalej.

Turner pozwolił, aby robota mówiła sama za siebie. Harper chciał jednak wiedzieć, jak Elwood czuje się w nowej roli.

– Nie wyglądasz na zdziwionego – zauważył.

– Gdzieś musi być granica – odparł Elwood.

– Sprawy tak się mają, że Spencer mi mówi, gdzie jechać, i odpala działkę dyrektorowi Hardeemu. – Harper gmerał przy pokrętle radia w poszukiwaniu rock and rolla. Znowu wskoczył Elvis. Był wszędzie. – Z tego, co mówi ciotka, dawniej było gorzej – ciągnął. – Władze zrobiły nalot i teraz odpuszczamy towar z południowej części. – To znaczyło, że opylali wyłącznie zaopatrzenie przeznaczone dla czarnych uczniów. – Był taki genialny koleś, który prowadził Miedziaka, Roberts, on by opchnął piasek na pustyni. Z niego to był numer!

– Moim zdaniem to lepsze niż sprzątanie sracza – skwitował Turner. – Albo koszenie trawy.

Dobrze było się wyrwać, Elwood powiedział to otwarcie. W następnych miesiącach, gdy we trzech odbębniali rundki, zjeździł całe Eleanor na Florydzie. Poznał dobrze zaułki Main Street, gdzie Harper parkował przed wejściem dla dostawców. Czasem wyładowywali zeszyty i długopisy, czasem lekarstwa i bandaże, ale najczęściej żywność. Indyki na Święto Dziękczynienia i szynka na Boże Narodzenie znikały w rękach kucharzy, a zastępca dyrektora szkoły otworzył pudełko i uważnie przeliczył gumki do ścierania. Elwood zastanawiał się wcześniej, dlaczego na wyposażeniu poprawczaka brakuje pasty do zębów – teraz poznał przyczynę. Parkowali na tyłach sklepów z taniochą albo drogerii, dzwonili z wyprzedzeniem do miejscowego lekarza, który potem zakradał się jak złodziej do okna furgonetki. Raz na jakiś czas podjeżdżali do zielonego dwupiętrowego domu w ślepym zaułku i Harper odbierał wypłatę od wymuskanego faceta w wełnianej kamizelce, w typie członka rady miejskiej. Nie znam jego historii, powiedział, ale gość ma dobre maniery i świeże banknoty i lubi gadać o drużynach sportowych z Florydy.

„To czy to?" Za każdym razem, gdy Elwood wyjeżdżał z terenu poprawczaka, nowe szkła wsuwały się do okularów, żeby lepiej wszystko widział.

Pierwszego dnia, gdy furgonetka była już opróżniona, sądził, że zaraz wrócą do Miedziaka, ale ruszyli na czystą cichą ulicę, która przypominała lepszą część Tallahassee, dzielnicę białych. Zatrzymali się przed dużym jasnym domem, który unosił się na falach pofałdowanej zieleni. Na maszcie przymocowanym do dachu powiewała amerykańska flaga. Wysiedli, a kolejne spojrzenie w przestrzeń ładunkową furgonetki odsłoniło brezent skrywający sprzęt malarski.

– Dzień dobry, pani Davis – powiedział Harper, kłaniając się.

Z werandy zamachała ręką biała kobieta z dużym kokiem.

– Ależ to ekscytujące! – skwitowała.

Elwood unikał kontaktu wzrokowego, kiedy poprowadziła ich dokoła domu na tylne podwórko, gdzie na skraju zagajnika dębowego stała szara, zmęczona życiem altana.

– To to? – spytał Harper.

– Tak, mój dziadek postawił ją czterdzieści lat temu – odparła pani Davis. – O, tam właśnie oświadczył mi się Conrad. – Miała na sobie żółtą sukienkę w pepitkę i ciemne okulary jak Jackie Kennedy. Dostrzegła na swoim ramieniu chudego zielonego owada, więc strąciła go pstryknięciem palców i uśmiechnęła się.

Szykowało się malowanie. Pani Davis dała Harperowi szczotkę, Harper dał szczotkę Elwoodowi, a ten zamiótł podłogę altany, gdy tymczasem Turner przyniósł farby z furgonetki.

– Bardzo miło z waszej strony, że nam pomagacie – powiedziała pani Davis i wróciła do domu.

– Przyjadę około trzeciej – rzucił Harper i też zniknął.

Turner wyjaśnił, że kierownik ma dziewczynę w Maple. Jej facet wyrabiał nadgodziny w jakiejś fabryce.

– Będziemy malować? – spytał Elwood.

– No jasne.

– I tak nas tutaj zostawił?

– No pewnie, człowieku. Pan Davis jest komendantem straży pożarnej. Często ściąga nas tutaj do drobnych fuch. Ja i Smitty wykończyliśmy wszystkie pokoje na piętrze. – Wskazał na lukarny, jakby Elwood mógł z zewnątrz ocenić ich dokonania. – Wszyscy ci goście z zarządu poprawczaka dają nam różne fuchy. Czasem to gówniane roboty, ale wolę byle co tutaj niż pracę w internacie.

Elwood też wolał. Było parne listopadowe popołudnie i rozkoszował się odgłosami wolnego świata, pogwarem owadów i ptaków. Ich krzykom godowym i przestrogom wkrótce zaczęło towarzyszyć pogwizdywanie Turnera – Chuck Berry, jeśli Elwood się nie mylił. Farba była marki Dixie, kolor – biały dixie.

Gdy ostatnim razem trzymał pędzel w ręce, odnawiał wychodek u pani Lamont – robota, do której babcia wynajęła go za dziesięć centów. Turner się roześmiał i powiedział, że w dawnych czasach poprawczak bez przerwy przysyłał ekipy chłopców do Eleanor, żeby pracowali dla tutejszych ważniaków. Jak mówił Harper, czasem to były przysługi, takie jak malowanie, ale częściej chodziło o zarabianie prawdziwych pieniędzy, które szkoła przeznaczała potem na swoją działalność, podobnie jak dochody z plonów, drukarni i produkcji cegieł. A jeszcze wcześniej wyglądało to bardziej ponuro.

– Jak kończyłeś tutaj naukę, to nie wracałeś do domu, tylko byłeś na warunkowym – wyjaśnił Turner. – Oddawali twoje dupsko w miasteczku praktycznie każdemu, kto reflektował. Tyrałeś jak niewolnik, spałeś w piwnicy czy gdzieś. Bili cię, kopali, dawali gówno do jedzenia.

– Takie gówno jak teraz dostajemy?

– Cholera, o wiele gorsze. Musiałeś odpracować dług – dodał Turner. – Dopiero potem cię puszczali.

– Jaki dług?

Elwood zagiął go tym pytaniem.

– Fakt, nigdy się nad tym nie zastanawiałem. – Przytrzymał mu rękę. – Zwolnij trochę. To robota na trzy dni, jak dobrze to rozegramy. Pani Davis przynosi nam lemoniadę.

Lemoniada była wyborna, gdy w końcu została podana na tacy z brązu.

Dokończyli malowanie poręczy i bocznych trejaży. Elwood potrząsnął nową puszką białej dixie, podważył pokrywkę i zamieszał. Opowiedział, w jakich okolicznościach został aresztowany i wysłany do Miedziaka – „Gówniana sprawiedliwość, człowieku" – Turner natomiast nie palił się do gadania o swoim dawnym życiu. To była jego druga odsiadka po prawie roku na wolności. Może wypytywanie o to, jak trafił tu ponownie, było wciąganiem go coraz głębiej w trzęsawisko Miedziaka, które potrafiło wessać wszystko, nawet niewinną przeszłość?

– Jak było z tobą? – spytał Elwood.

Turner usiadł.

– Wiesz, co to jest pinsetter?

– W kręgielni?

– Tak, ustawiałem kręgle w Tampie. Kręgielnia nazywała się Holiday. Prawie wszędzie mają maszyny do tego, ale pan Garfield wolał po staremu. Lubił patrzeć, jak chłopcy przykucają na końcu torów, jakby byli sprinterami. Albo ogarami, które zaraz zostaną spuszczone ze smyczy. To była niezła robota. Zgarnianie kręgli po każdym rzucie i ustawianie ich w ramie. Pan Garfield przyjaźnił się z Everettami, u których mieszkałem. Władze płaciły Everettom za przygarnianie bezdomnych dzieciaków. Trochę, niedużo. Ciągle przewijało się sporo przybłędów, przychodzili, odchodzili. No tak, to była dobra robota. Czwartek był dniem dla kolorowych, ściągali wszyscy z okolicy, różne zespoły kręglarzy, była zabawa, ale najczęściej zjawiały się głupie wsiochy z Tampy. Wredne i mniej wredne. Biali. Byłem szybki, no i uśmiecham się przy robocie, myślami jestem gdzie indziej, ale robię co trzeba, więc klienci mnie lubili, dostawałem napiwki. Poznałem kilku stałych bywalców. Nie znaliśmy się dobrze, ale widywaliśmy się co tydzień. No i zacząłem się z nimi zadawać. Jeśli akurat znałem faceta, to mogłem zażartować z tego, że oszukuje, robiłem głupie miny, o takie, kiedy kula wypadła z toru albo śmiesznie rozbił stawkę. To weszło mi w krew, żartowałem sobie ze stałymi klientami, lubiłem dostawać napiwki.

W kuchni pracował taki stary grzyb, na imię miał Lou. Jeden z tych, co o nich wiadomo, że naoglądali się w życiu dużo gówna. Nie gadał z nami, chłopakami od kręgli, odwracał tylko hamburgery na ruszcie. Nie był szczególnie sympatyczny, więc nieczęsto z nim rozmawialiśmy. Tamtego wieczoru miałem przerwę, wychodzę na papierosa za grillem. A on tam jest. W fartuchu, upaprany tłuszczem. Był ciepły wieczór. On mi się przygląda. I mówi: „Widzę, czarnuchu, że odstawiasz tam szopkę. Czego zawsze się błaźnisz i brykasz przed tymi białymi? Nikt ci nie mówił, co to godność?".

Były ze mną dwa inne chłopaki od kręgli, usłyszeli to, no i zrobili miny, że jasna cholera. Mnie gęba aż piecze, miałem ochotę wyrżnąć tego starego durnia, przecież mnie nie znał. Gówno o mnie wiedział. Patrzę na niego, a on nic, stoi tylko i pali papierosa, którego sobie skręcił, domyśla się, że nic nie zrobię. No bo miał rację, że mi przygadał.

No to jak miałem zmianę następnym razem, zacząłem, no nie wiem, zacząłem się zachowywać inaczej. Przestałem żartować, zrobiłem się wredny. Kiedy kula zjechała z toru albo któryś przekroczył linię, wykrzywiałem gębę. Zobaczyłem to w ich oczach, to, jak się połapali, że zmieniły się zasady gry. Może wcześniej udawaliśmy, że jesteśmy po tej samej stronie, że jesteśmy równi, ale teraz było inaczej.

Koniec wieczoru, ja przez cały czas śmieję się z jednego pierdolonego wieśniaka. Z takiego wielkiego rżącego głąba. Jego kolej, musi wykończyć dwa szeroko rozstawione kręgle. Ja na to: „Ale zgrywa", wiesz, jak królik Bugs, no i facet nie wytrzymał. Ruszył na mnie po torze. Gonił mnie po całej kręgielni, skakałem po torach, wcinając się innym w grę, kluczyłem między kulami, w końcu kumple go przytrzymali. Przychodzili tam ciągle, nie chcieli się narazić panu Garfieldowi. Znali mnie, a przynajmniej myśleli, że mnie znają, ale zacząłem się dziwnie zachowywać, więc złapali swojego kolegę, żeby się opanował, i wyszli.

Turner uśmiechał się, gdy odtwarzał tę scenkę. Do ostatniej części. Potem spojrzał zmrużonymi oczami na podłogę altany, jakby chciał dostrzec jakąś drobinkę.

– Właściwie to był koniec – dodał, drapiąc się w ucho. – W następnym tygodniu zobaczyłem furę tego faceta na parkingu, więc wybiłem mu okno pustakiem, no i gliniarze mnie zgarnęli.

Harper spóźnił się godzinę. Nie zamierzali mu tego wytykać. Z jednej strony czas wolny w Miedziaku, z drugiej robota w wolnym świecie – wybór był prosty.

– Będzie potrzebna drabina – powiedział Elwood, kiedy Harper wrócił.

– Dobra.

Gdy odjeżdżali, pani Davis pomachała im z werandy na pożegnanie.

– Jak tam twoja ukochana? – spytał Turner.

Harper wcisnął koszulę w spodnie.

– Zawsze jak się rozluźnisz, bo jest fajnie, to zacznie ci przypominać o czymś zupełnie innym, co było, jak zjawiłeś się ostatnim razem.

– Tak, wiem. – Turner sięgnął po papierosy Harpera i zapalił jednego.

Elwood chłonął wszystko, co widział na wolce, żeby potem poskładać to sobie w głowie. Jak coś wygląda, jak pachnie i tak dalej. Dwa dni później Harper powiedział mu, że przydzielono go na stałe do prac społecznych. Nic dziwnego, biali zawsze mieli go za robotnego chłopaka. Ta wiadomość poprawiła mu humor. Za każdym razem, gdy wracali do Miedziaka, zapisywał szczegóły w zeszycie do wypracowań. Datę. Nazwisko osoby i nazwę miejsca. Niektóre nazwiska poznawał dopiero po dłuższym czasie, ale przecież był cierpliwym człowiekiem, cierpliwym i sumiennym.

# Rozdział dziewiąty

----------

Chłopcy kibicowali Griffowi, chociaż był wrednym łobuzem i bezlitośnie wykorzystywał ich słabości, a gdy nie mógł żadnej znaleźć, to ją wymyślał, na przykład nazwał kogoś „zezowatą kupą gówna", chociaż biedak nigdy w życiu nie zezował. Podstawiał im nogę i śmiał się, gdy zaliczali glebę, i walił z liścia, kiedy tylko mogło mu to ujść płazem. Zaciągał ich do ciemnych pomieszczeń i cwelował. Śmierdział jak spocony koń i stroił sobie żarty z ich matek, co było zagrywką poniżej pasa, biorąc pod uwagę sieroctwo większości miedziaków. Kradł im deser – z uśmiechem zgarniał go z tacy – taka obowiązywała zasada, nawet jeśli nie był to żaden świetny shake. Chłopcy kibicowali jednak Griffowi, bo miał reprezentować czarną populację poprawczaka na dorocznym meczu bokserskim i bez względu na to, co robił przez cały rok, w dniu walki był nimi wszystkimi w jednym murzyńskim ciele. Zamierzał zafundować białemu nokaut.

Bosko, gdyby tuż przed tym wypluł ze dwa zęby.

Kolorowi utrzymywali tytuł mistrzowski w Miedziaku od piętnastu lat. Starzy wyjadacze z kadry pedagogicznej pamiętali ostatniego białego czempiona i ciągle o nim gadali, o wiele częściej niż o innych sprawach z przeszłości. Terry „Doktorek" Burns z okręgu Suwannee był zacnym chłopakiem o łapskach jak kowadła, osadzonym w Miedziaku za uduszenie kurcząt sąsiada. Dwudziestu jeden kurcząt, gwoli ścisłości, bo „się na niego uwzięły". Ból spływał po nim jak deszcz po spadzistym dachu. Gdy Burns wrócił na wolność, inni biali, którym udawało się dotrzeć do finału, w porównaniu z nim okazywali się cykorami na miękkich nogach, więc z biegiem lat barwne opowieści o dawnym mistrzu coraz bardziej koloryzowano. Natura obdarzyła Burnsa nienaturalnie długim zasięgiem ramion; nie znał zmęczenia, a jego legendarna kombinacja ciosów wciskała w narożnik, drżały od niej szyby w oknach. W rzeczywistości był w życiu bity i źle traktowany przez tak wielu ludzi – krewnych i obcych – że gdy wylądował w Miedziaku, tamtejsze kary odbierał jak łaskotki.

To był debiut Griffa w drużynie bokserskiej. Do zakładu poprawczego trafił w lutym, tuż po „zakończeniu nauki" przez poprzedniego mistrza, Axela Parksa. Axel powinien był wyjść przed rozpoczęciem sezonu zawodów, ale sekcyjni w internacie Roosevelta postarali się, żeby nie wyszedł i bronił tytułu. Oskarżenie o kradzież jabłek ze stołówki zdegradowało go do rangi kijanki i zagwarantowało jego obecność. Gdy Griff dał się poznać jako najgorszy sukinkot w całym poprawczaku, został naturalnym następcą Axela. Poza ringiem pasjonowało go terroryzowanie słabszych chłopców, biedaków bez przyjaciół, mazgajów. W ringu zaś ofiara sama się podkładała, więc nie musiał marnować czasu na polowanie. Boks był jak elektryczny toster albo pralka automatyczna – nowoczesne udogodnienie, dzięki któremu życie stawało się znośniejsze.

Drużynę kolorowych trenował Max David z Missisipi, który pracował w szkolnym warsztacie mechanicznym. Pod koniec roku dostawał kopertę za to, że przekazał umiejętności, których nabył w okresie swoich występów w wadze półśredniej. Na początku lata Max David zaserwował Griffowi swoją gadkę:

– Od pierwszej walki dostałem zeza, a po ostatniej znowu mi się ślepia naprostowały, więc uwierz mi, jak ci powiem, że ten sport cię złamie, żebyś był lepszym człowiekiem, takie są fakty.

Griff uśmiechnął się. Przez całą jesień ten kolos z okrutną nieuchronnością obalał i wciskał swoich przeciwników w dechy. Nie miał wdzięku, nie był uczonym. Był skutecznym narzędziem przemocy i to w zupełności wystarczyło.

Biorąc pod uwagę przeciętną długość pobytu w Miedziaku – a pomijając sabotaż ze strony personelu – większość uczniów zaliczała jeden, najwyżej dwa sezony walk.

Gdy zbliżały się mistrzostwa, kijankom należało uświadomić wagę grudniowych meczów: eliminacje w poszczególnych internatach, walki między naszym czempionem a najlepszymi cepiarzami z dwóch sąsiednich internatów, wreszcie starcie najlepszego czarnego pięściarza z jakimś matołem, którego wystawili biali. Mistrzostwa w boksie były w Miedziaku jedyną okazją do poznania, czym są fair play i sprawiedliwość.

Walki miały efekt łagodzący, pozwalały chłopcom przetrwać codzienne upokorzenia. Trevor Nickel zainicjował mistrzostwa w 1946 roku, wkrótce po tym, gdy został dyrektorem Florydzkiej Szkoły Przemysłowej dla Chłopców, z mandatem do wprowadzania reform. Nigdy wcześniej nie zarządzał szkołą, miał doświadczenie w rolnictwie. Wywarł jednak wrażenie na zlotach Ku-Klux-Klanu spontanicznymi przemówieniami o odnowie moralnej i wartości pracy, o ratowaniu młodych duszyczek wymagających opieki. Gdy nadarzyła się okazja, odpowiedni ludzie przypomnieli sobie jego żarliwe słowa. Pierwsze Boże Narodzenie Nickela w szkole było dla okręgu okazją, by zapoznać się z wprowadzonymi przez niego ulepszeniami. Wszystko, co wymagało odmalowania, zostało odmalowane, ciemne cele zmieniono na krótko w pomieszczenia o bardziej niewinnej funkcji, a stosowanie kar cielesnych ograniczono do małego białego budynku gospodarczego. Gdyby zacni mieszkańcy Eleanor zobaczyli ten przemysłowy wentylator, być może zadaliby kilka dociekliwych pytań, ale trasa wycieczki po terenie zakładu poprawczego nie obejmowała baraku.

Nickel od dawna był orędownikiem boksu, kierował grupą lobbystów, którzy naciskali, by włączyć tę dyscyplinę do igrzysk olimpijskich. Boks zawsze cieszył się popularnością w Miedziaku, bo większość chłopców była posiniaczona przez życie, jednak nowy dyrektor postawił sobie za punkt honoru jego wywyższenie. Budżet na sport, od dawna łatwy łup dla dyrektorów w potrzebie, został zrestrukturyzowany, żeby pozyskać sprzęt i zachęcić do wysiłku sztab szkoleniowy. Nickel był miłośnikiem tężyzny. Wierzył święcie w cudowność istoty ludzkiej w jej optymalnej formie i często obserwował chłopców pod natryskami, żeby ocenić ich postępy w wychowaniu fizycznym.

– Dyrektor tak robił? – spytał Elwood, gdy Turner opowiedział mu tę historię.

– A jak myślisz, skąd doktor Campbell podebrał ten pomysł? – Turner dodał, że Nickela już nie ma, ale wiadomo, że Campbell, szkolny psycholog, właśnie pod prysznicem wybiera sobie białych chłopców na randki. – Wszystkie te stare świntuchy to jedna sitwa.

Tego popołudnia Elwood i Turner przesiadywali na trybunach sali gimnastycznej. Griff miał sparing z Cherrym, Mulatem, który zabrał się do pięściarstwa w celach

136

pedagogicznych, żeby nauczyć innych, jak nie należy się wyrażać o jego białej matce. Był szybki i zwinny, ale Griff go prał.

Oglądanie Griffa przy młócce było ulubionym zajęciem w Cleveland w pierwszych dniach grudnia. Chłopcy z internatów dla kolorowych odbywali pielgrzymki na salę gimnastyczną, podobnie jak biali podpatrywacze spod wzgórza, którzy pragnęli, by powinęła mu się noga. Griffa zwolniono z dyżurów w kuchni już we wrześniu, w Święto Pracy, i pozwolono mu trenować. To było widowisko. Max narzucił mu przedziwną dietę złożoną z jajek i owsianki, a w lodówce trzymał dzban czegoś, co – jak twierdził – było krwią kozy. Trener wydzielał odpowiednie porcje, Griff przełykał teatralnie i w odwecie wyżywał się na worku treningowym.

Podczas swojego pierwszego semestru w Miedziaku, dwa lata wcześniej, Turner widział Axela na ringu. Axel miał powolną pracę nóg, ale był wytrzymały i solidny jak stary most z kamienia; znosił cierpliwie wszystko, co zrządziły niebiosa. W przeciwieństwie do wrednie usposobionego Griffa, okazywał ludziom życzliwość i troszczył się o młodszych chłopców.

– Ciekawe, gdzie się teraz podziewa – mruknął Turner. – Czarnuch nie ma za grosz rozumu. Pewnie narobił sobie kłopotów tam, gdzie jest.

Taka tradycja Miedziaka.

Cherry zachwiał się i klapnął na dupę. Griff wypluł ochraniacz na zęby i ryknął. Czarny Mike wszedł na ring i podniósł mu rękę, jak Statua Wolności podnosi pochodnię.

– Myślisz, że go załatwi? – spytał Elwood.

Białym przeciwnikiem Griffa miał być najprawdopodobniej chłopak nazywany Wielki Chet, który pochodził z bagien i był nietypowym zjawiskiem.

– Popatrz na jego ręce, człowieku – odparł Turner. – Jak tłoki. Albo połcie wędzonej szynki.

Trudno było sobie wyobrazić przegraną kolosa, widząc, jak dygocze od niespożytej energii po walce, w asyście dwóch karolków rozwiązujących mu rękawice niczym lokaje. Dlatego właśnie dwa dni później Turner aż usiadł ze zdziwienia, gdy usłyszał, że Spencer kazał Griffowi się podłożyć.

Uciął sobie drzemkę na poddaszu magazynu, gdzie uwił gniazdko wśród skrzynek z przemysłowym proszkiem do szorowania. Nikt z kadry nie czepiał się go, że chodzi sam do tego dużego budynku, bo był członkiem ekipy Harpera, więc miał luz i znalazł dla siebie kryjówkę. Żadnego nadzoru, żadnych kolegów – tylko on, poduszka, wojskowy koc i radio tranzystorowe Harpera. Spędzał tam kilka godzin tygodniowo. Było jak wtedy, gdy włóczył się po kraju, gdy nie znał nikogo i nikt nie chciał znać jego. Miał w życiu kilka takich okresów, kiedy był wykorzeniony i sunął ulicami jak gazeta gnana wiatrem. Poddasze wyrywało go z Miedziaka.

Obudził go trzask zamykanych drzwi magazynu. Potem rozległ się ośli głos Griffa:

– O co chodzi, proszę pana?

– Jak się masz i jak tam treningi, Griff? – spytał Spencer. – Stary Max mówi, że jesteś naturszczyk.

Turner zmarszczył czoło. Za każdym razem, gdy białas pyta cię o samopoczucie, oznacza to, że chce cię wydymać. Griff był głupi i nie połapał się, że coś się kroi. Na lekcjach ledwo dodawał dwa do trzech, jakby w ogóle nie wiedział, ile ma palców u rąk. Niektóre zakapiory w szkole śmiały się z niego, więc wpychał im głowy do kibla, jednemu po drugim, przez cały tydzień.

Turner miał trafne przeczucie: Griff nie potrafił zrozumieć powodu potajemnego spotkania. Spencer zaczął się rozwodzić nad doniosłością tej walki, nad tradycją grudniowych mistrzostw. Następnie poczynił aluzję: właściwa postawa sportowa wymaga, aby czasem pozwolić drugiej stronie wygrać. Spróbował eufemizmów: wiesz, to jak z gałęzią drzewa, musi się ugiąć, żeby się nie złamać. Potem odwołał się do fatalizmu: czasem się nie udaje, bez względu na to, jak bardzo się staramy. Ale Griff był mało rozgarnięty.

– Tak, proszę pana, pewnie ma pan rację... Tak, tak właśnie jest...

Wreszcie Spencer powiedział mu, że ma podłożyć swoje czarne dupsko w trzeciej rundzie, bo inaczej tam wyląduje.

– Tak jest, proszę pana – odrzekł Griff.

Podsłuchujący na poddaszu Turner nie widział jego twarzy, więc nie miał pojęcia, czy się połapał. W łapskach kretyn miał dynamit, we łbie sieczkę.

– Dobrze wiesz, że byś go pokonał – zakończył Spencer. – I to ci musi wystarczyć. – Odchrząknął i dodał: – No chodź, zbieraj się. – Jakby Griff był owieczką, która odłączyła się od stada.

Turner znowu został sam.

– Ale chujnia, nie? – powiedział, gdy po powrocie z wypadu do Eleanor przysiedli z Elwoodem na stopniach przed wejściem do Cleveland.

Światło było rozrzedzone, zima powoli dociskała świat jak pokrywka stary garnek. Elwood był jedynym, któremu Turner mógł powiedzieć o tej sprawie. Każdy inny z tych baranów od razu by się wygadał i wtedy porozbijano by mnóstwo łbów.

Turner nigdy nie znał takiego chłopaka jak Elwood. „Wytrzymały", takie słowo cisnęło mu się na usta, chociaż gówniarz z Tallahassee wydawał się mięczakiem, zachowywał się jak dziewica i miał irytujący zwyczaj prawienia kazań. Nosił okulary, które chciało się podeptać, zgnieść podeszwą jak motyla. Gadał jak biały z college'u, czytał książki, chociaż nie musiał, grzebał w nich, szukając uranu, żeby uzbroić własną bombę atomową. A jednak – „wytrzymały".

140

Elwooda nie zaskoczyły te nowiny.

– Zinstytucjonalizowany boks jest skorumpowany na wszystkich poziomach – skwitował autorytatywnie. – W gazetach często o tym pisali. – Opowiedział Turnerowi, co przeczytał u Marconiego, przycupnięty na stołku w godzinach zastoju. – Walki ustawia się dlatego, że ludzie robią zakłady.

– Sam bym coś zaryzykował, gdybym miał forsę. Czasem w Holiday stawialiśmy w turniejach. Wygrywałem.

– Ludzie się wnerwią – powiedział Elwood.

Zwycięstwo Griffa miało być wielkim świętem, ale niemal równie smaczne były kąski, którymi chłopcy karmili się w oczekiwaniu na walny bój, scenariusze, które przewidywały, że białemu pretendentowi puszczą zwieracze, że rzygnie gejzerem krwi wprost na twarz dyrektora Hardeego albo plunie wybitymi zębami, „jakby je ktoś powyłamywał szpikulcem do lodu". Bezceremonialne, dodające otuchy fantazje.

– No pewnie, ale Spencer zagroził, że Griff tam wyląduje.

– Gdzie, w Białym Domu?

– Pokażę ci.

Mieli jeszcze trochę czasu przed kolacją.

Po dziesięciu minutach dotarli do pralni, która była zamknięta o tej porze. Turner spytał Elwooda, o czym ta książka, co ją trzyma pod pachą. Elwood wyjaśnił, że brytyjska rodzina próbuje wydać za mąż najstarszą córkę, aby zachować swoją posiadłość i tytuł. Fabuła miała skomplikowane zwroty akcji.

– A co, nikt się nie chce z nią chajtnąć? Taka brzydka?

– Napisane, że ma przystojną twarz.

– Cholera.

Za pralnią stała zniszczona stajnia. Sufit dawno już się zwalił, do środka wpełzła przyroda, w boksach wykiełkowały cherlawe krzaki i wiotka trawa. Można tu było nieźle rozrabiać, jeśli nie wierzyło się w duchy, ale żaden z uczniów nie wyrobił sobie zdecydowanej opinii w tej sprawie, więc wszyscy na wszelki wypadek woleli trzymać się z daleka. Po jednej stronie stajni rosły dwa dęby z żelaznymi pierścieniami przymocowanymi do pnia.

– To „tam" to jest tu – powiedział Turner. – Podobno raz na jakiś czas biorą czarnucha, przypinają go do tych obręczy, łapią za bat i łoją mu skórę.

Elwood zacisnął pięści, ale się opanował.

– Białych nie biorą?

– W Białym Domu zrobili integrację. Tutaj jest segregacja. Jak wezmą cię tutaj, to nie trafisz już potem do szpitala. Kasują cię jako uciekiniera i koniec sprawy, chłopcze.

– A co na to rodziny?

– Ilu chłopaków, których tutaj znasz, ma rodziny? Albo rodziny, które się nimi interesują? Nie wszyscy są tacy jak ty, Elwood.

Turner zrobił się zazdrosny, gdy Harriet przyjechała z wizytą i przywiozła wnukowi przekąski. Od czasu do czasu dawał tego dowody. Jak w tej chwili. Te klapki na oczach, które ciągle miał Elwood. Prawo to jedno – można demonstrować i wymachiwać transparentami i można nawet zmienić przepisy, jeśli przekona się dostatecznie wielu białych. W Tampie Turner widział studentów w ładnych koszulach i pod krawatem, okupujących Woolworths. On musiał tyrać, oni mogli sobie siedzieć i protestować. No i w końcu zaczęto ich obsługiwać. Ale tak czy owak on nie miał pieniędzy, żeby tam pójść i coś zjeść. Można zmienić prawo, ale nie można zmienić ludzi ani tego, jak się nawzajem traktują. W Miedziaku był rasizm jak skurwysyn – w weekendy pewnie połowa personelu przebierała się w ciuchy Ku-Klux-Klanu – ale Turner uważał, że zło sięga głębiej niż koloru skóry. To Spencer. To Spencer i Griff, i wszyscy rodzice, którzy pozwolili, żeby ich dzieci tu wylądowały. Ludzie.

I właśnie dlatego zabrał Elwooda pod dwa dęby. Żeby pokazać mu to, czego nie ma w książkach.

Elwood chwycił jedną obręcz i pociągnął. Była mocno osadzona, właściwie już część drzewa. Ludzkie kości prędzej pękną, niż ona się obluzuje.

Dwa dni później Harper potwierdził zawieranie zakładów. Dostarczyli kilka zarżniętych wieprzków do grillowni Terry'ego.

– I przekazał im swój majątek – zacytował Turner, gdy Harper zamknął drzwi.

Ręce śmierdziały im juchą i właśnie wtedy spytał o walkę.

– Postawię coś, jak zobaczę, że przeszedł do finału – odparł kierownik Harper. Za dyrektora Nickela stawiano grosze: czystość sportu i takie tam. Teraz jednak branżę opanowały tłuste kocury, wszyscy cwaniacy z trzech okolicznych okręgów, którzy mieli smykałkę do hazardu. No nie, nie wszyscy, ktoś z tutejszego personelu musiał najpierw za chętnego poręczyć. – Tak czy siak, zawsze się stawia na kolorowego. W drugą stronę to byłby kretynizm.

– Cały boks jest ustawiony – powiedział Elwood.

– Nieuczciwy jak wiejski kaznodzieja – dorzucił Turner.

– Nie odważyliby się na taki szwindel w Miedziaku – odparł Harper. Mówił o swoim dzieciństwie. Wychował się na tych walkach, wcinał popcorn w sekcji dla VIP-ów. – To piękna sprawa.

Turner prychnął i zaczął gwizdać.

Wielki turniej ciągnął się przez dwa wieczory. Pierwszego biała i czarna połowa poprawczaka decydowały, kogo wysłać w bój. Cztery miesiące wcześniej w sali gimnastycznej ustawiono trzy ringi bokserskie do treningu, ale teraz na środku dużego pomieszczenia pozostał tylko jeden. Na dworze było chłodno, więc kibice tym chętniej weszli do parnej sali. Biali mężczyźni z miasteczka zajęli rozkładane krzesła najbliżej ringu, w drugiej kolejności nadszedł personel Miedziaka, a dalej uczniowie tłoczyli się na trybunach oraz siedzieli po turecku na podłodze, jeden śniady łokieć przy drugim. Segregacja rasowa w szkole odtworzyła się automatycznie na sali, bo biali chłopcy usiedli od południa, czarni od północy. Na styku doszło do przepychanek.

Dyrektor Hardee odgrywał rolę mistrza ceremonii. Rzadko wychodził ze swojego biura w budynku administracji. Turner nie widział go od czasu Halloween, kiedy to dyro przebrał się za D*raculę i przepoconą garścią rozdawał cukierki kukurydziane młodszym uczniom. Był niskim mężczyzną wciśniętym w garnitur, z łysiną wyglądającą spod burzy siwych włosów. Hardee przyprowadził swoją żonę, krzepką piękność, której każda wizyta była starannie, choć skrycie odnotowywana przez uczniów – tępe gapienie się gwarantowało karę cielesną. Była kiedyś miss południowej Luizjany, a przynajmniej taka krążyła plotka. Chłodziła sobie szyję papierowym wachlarzem.

Małżeństwo Hardeech zajęło najlepsze miejsca z przodu, obok członków zarządu Miedziaka. Turner znał większość tych ludzi z grabienia ich ogrodów i dostarczania szynki. Tam, gdzie te różowe karki wystają z kołnierzyków, właśnie tam trzeba walić, w te wrażliwe parę centymetrów.

Harper siedział za rzędem VIP-ów, razem z resztą kadry. W towarzystwie swoich kolegów zachowywał się inaczej, zrzucał pozę obiboka. Niejeden raz Turner widział, jak Harper przybierał należytą postawę i minę, gdy nagle pojawiał się jakiś kierownik albo wychowawca. Pstryk, wciągamy albo zrzucamy przebranie.

Hardee wygłosił kilka uwag. Przewodniczący zarządu, pan Charles Grayson – dyrektor banku i długoletni sponsor Miedziaka – kończył w piątek sześćdziesiąt lat. Hardee kazał więc uczniom zaśpiewać „Sto lat, sto lat!". Pan Grayson wstał i pokiwał głową, splatając dłonie za plecami jak dyktator.

Pierwszeństwo miały białe internaty. Duży Chet przecisnął się przez liny i wskoczył na środek ringu. Jego kibice zareagowali z entuzjazmem; dowodził legionami. Biali chłopcy nie mieli tak ciężkiego życia jak czarni, ale przecież oni też nie znaleźli się w Miedziaku dlatego, że rodzice ich rozpieszczali. Duży Chet był ich Wielką Białą Nadzieją. Plotki uczyniły z niego lunatyka – podobno we śnie wybijał pięścią dziury w ścianach łazienki. Rankiem widywano go ssącego skrwawione kłykcie.

– Ten biały czarnuch wygląda jak Frankenstein – ocenił Turner.

Kwadratowa głowa, długie ręce, świetna praca nóg.

Część otwierająca miała trzy epizody niegodne uwagi. Sędzia – za dnia majster w drukarni – w pierwszej walce przyznał zwycięstwo Chetowi i nikt nie zgłosił sprzeciwu. Był uważany za zrównoważonego człowieka, sędzia znaczy, odkąd wyrżnął jednego gówniarza w łeb, na wpół go oślepiając sygnetem bractwa studenckiego. Bo zaraz potem ukorzył się przed Zbawicielem i nigdy więcej nie podniósł ręki na bliźniego, z wyjątkiem własnej żony. Druga walka białych internatów rozpoczęła się od donośnego trzasku – pneumatycznym podbródkowym Duży Chet zredukował przeciwnika do poziomu przerażonego dziecka. Przez pozostałą cześć pierwszej i dwie kolejne rundy nieszczęśnik uciekał jak zając. Po werdykcie sędziego Chet wypluł ochraniacz w dwóch kawałkach i podniósł wielkie łapska ku niebu.

– Wydaje mi się, że może sobie poradzić z Griffem – powiedział Elwood.

– Może i może, ale oni muszą być pewni.

Skoro ma się nad ludźmi taką władzę, że można im nakazać, co mają robić, a nie wykorzystuje się tego, to jaki sens w ogóle ją mieć?

Potyczki Griffa z mistrzami internatów Roosevelta i Lincolna trwały okamgnienie. Pettibone był niższy od niego o głowę – bezdyskusyjna różnica wagi, gdy stanęli nos w nos – niemniej jednak zakasował wszystkich konkurentów w internacie Roosevelta, więc koniec dyskusji. Zadźwięczał gong, Griff natarł i poniżył przeciwnika kanonadą ciosów w korpus. Ludzie na widowni aż się skrzywili.

– Będą żeberka na obiad! – krzyknął chłopak siedzący za Turnerem.

Pani Hardee zapiszczała, gdy Pettibone zachwiał się niebezpiecznie i runął na twarz, żeby ucałować brudną matę.

Druga walka była mniej jednostronna. Przez trzy rundy Griff obijał mistrza internatu Lincolna, jakby biedak był kawałkiem mięsa, które wymaga skruszenia. Wilson uparcie trzymał się na nogach, bo chciał pokazać swojemu ojcu, ile jest wart. Toczył dwie walki, jedną oglądali wszyscy, o drugiej wiedział tylko on. Ojciec nie żył od wielu lat, nie mógł więc zrewidować swojej oceny charakteru pierworodnego, ale właśnie tego wieczoru chłopak spał bez koszmarów po raz pierwszy od dłuższego czasu. Sędzia, uśmiechając się smutno, przyznał zwycięstwo Griffowi.

Turner zlustrował salę gimnastyczną, zauważając wszystkie oznaki: są naiwniacy i są hazardziści. Jak ustawiasz walkę, musisz frajerom zaostrzyć apetyt. W Tampie, kilka przecznic od domu Everettów, uliczny cwaniak grał w trzy karty przed sklepem z cygarami. Kroił frajerów z pieniędzy przez cały dzień, wywijał kartami na pudle kartonowym. Sygnety na jego palcach błyszczały i krzyczały w słońcu. Turner lubił kręcić się w pobliżu i obserwować ten spektakl. Śledził wzrok cwaniaka, śledził wzrok naiwniaków, gdy próbowali podążać spojrzeniem za damą kier. Potem odwracali wybraną kartę. Ale im mina rzedła, gdy nagle się okazywało, że nie są tacy bystrzy, jak myśleli. Kanciarz kazał Turnerowi spadać, ale po upływie tygodnia znudziło mu się i pozwolił mu krążyć w pobliżu.

„Musisz robić tak, żeby myśleli, że wiedzą, co się dzieje – powiedział pewnego dnia. – Oni na to patrzą swoimi oczami, są rozkojarzeni, więc nie widzą istoty gry".

Gdy gliniarze zgarnęli go do mamra, jego pudło kartonowe jeszcze przez kilka tygodni stało za rogiem zaułka.

Program walk na następny dzień przeniósł Turnera z powrotem na ten róg ulicy. Przyglądał się grze w trzy karty, sam ani kanciarz, ani frajer; pozostawał poza nią, a jednak znał jej zasady. Nazajutrz wieczorem biali faceci postawią swoje pieniądze, a czarni chłopcy postawią swoje nadzieje, po czym mąż zaufania odwróci kartę – asa pik – i zgarnie kasiorę. Turner pamiętał ekscytującą walkę Axela sprzed dwóch lat, obłąkaną radość płynącą ze świadomości, że choć raz wolno im być górą. Byli szczęśliwi przez kilka godzin, spędzali czas na wolce, a potem z powrotem hop do Miedziaka.

Wszyscy jak jeden żałosne frajerzyny.

Rankiem w dniu wielkiej walki Griffa czarni uczniowie wstali zmęczeni po nieprzespanej nocy, a stołówka rozbrzmiała gadkami na temat rangi i rozmiarów nadchodzącego triumfu.

– Ten biały chłoptaś zostanie bez zębów jak moja babcia.

– Łeb mu będzie pękał, choćby ten nasz konował dał mu cały kubeł aspiryny.

– Ci z Ku-Klux-Klanu będą beczeć pod kapturami przez bity tydzień.

Czarni uczniowie ślinili się, fantazjowali, rozkojarzeni na lekcjach, roztargnieni na polach patatów. Dumali o zwycięstwie swojego mistrza: jeden z nas choć raz zatriumfuje, a jeden z tych, co nas gnębią, zostanie starty na proch, zobaczy gwiazdy.

Griff kroczył jak czarnoskóry książę, w asyście karolków. Młodsi uczniowie zadawali ciosy własnym niewidzialnym przeciwnikom. Ułożyli piosenkę o męstwie swojego nowego bohatera. W ostatnim tygodniu Griff nikogo nie zmaltretował ani nie obił poza ringiem, jakby przysiągł na Biblię, a Czarny Mike i Lonnie solidarnie też się powściągali. Z tego, co było widać, kolos nie przejął się wytycznymi Spencera, a przynajmniej tak wydawało się Elwoodowi.

– Jakby zapomniał – szepnął, gdy po śniadaniu szli do magazynu.

– Też bym się cieszył, jakbym dostawał od ludzi taki szacun – odparł Turner.

Nazajutrz będzie tak, jakby tego w ogóle nie było. Pamiętał, jak dzień po wielkiej walce Axel mieszał beton w taczce, znowu posępny i mało ważny.

– No bo kiedy następnym razem głupcy, którzy cię nienawidzą i się ciebie boją, będą traktować cię jak Harry'ego Belafonte?

– A może naprawdę zapomniał – powtórzył Elwood.

Wieczorem wsypali się do sali gimnastycznej. Kilku chłopaków z kuchni obsługiwało duży kocioł, kręcąc popcorn i zgarniając go do papierowych rożków. Karolki wcinały go i biegły na koniec kolejki po drugą porcję. Turner, Elwood i Jaimie wcisnęli się w sam środek trybuny. Mieli dobre miejsca.

– Ej, a ty nie powinieneś siedzieć tam? – spytał Turner.

Jaimie się uśmiechnął.

– Ja to widzę tak, że zawsze jestem wygrany – odpowiedział.

Turner skrzyżował ręce na piersi i zlustrował twarze na dole. Spencer. Uścisnął łapska tłustym kocurom w pierwszym rzędzie oraz dyrektorowi i jego żonie, a potem usiadł razem z personelem Miedziaka, zadowolony i pewny siebie. Wyjął z kurtki srebrną piersiówkę i łyknął sobie. Dyrektor banku rozdawał cygara. Pani Hardee wzięła jedno i teraz wszyscy patrzyli, jak wypuszcza dym z ust. Szare wiotkie kształty wirowały w podsufitowym świetle jak żywe duchy.

Po drugiej stronie biali chłopcy tupali rytmicznie w drewnianą podłogę, a huk odbijał się od ścian. Czarni podjęli wyzwanie i przez salę przewalił się grzmot wielonożnego dopingu. Zatoczył pełne koło, aż wreszcie uczniowie przestali tupać i zaczęli wiwatować, zachęceni własną wrzawą.

– Poślij go do grabarza!

Sędzia uderzył w gong. Przeciwnicy byli takiego samego wzrostu i budowy ciała, bloki wyciosane z tego samego kamieniołomu. Równa walka, pomimo pasma sukcesów czarnych pięściarzy w ostatnich latach. W pierwszej rundzie nie było pląsania ani uników. Chłopcy ścierali się raz za razem, atakowali na zmianę, ignorując ból. Tłum wył i wiwatował w reakcji na każde natarcie i odwrót. Czarny Mike i Lonnie uwiesili się na linach, obrzucając Dużego Cheta skatologicznymi wyzwiskami, aż w końcu sędzia kopniakiem strącił im obu ręce. Jeśli Griff bał się, że niechcący znokautuje Cheta, to nie dawał tego po sobie poznać. Czarny kolos obtłukiwał białego chłopca bez litości, przyjmował kontrataki, dziobał go szybkimi prostymi w twarz, jakby uderzeniami pięści chciał sobie wybić otwór w więziennym murze. Gdy oślepiły go krew i pot, okazywał nadprzyrodzone wyczucie pozycji Cheta, utrzymując go na dystans.

Pod koniec drugiej rundy trzeba było przyznać, że Griff ma przewagę mimo godnych podziwu ataków przeciwnika.

– Dobrze to wygląda – skwitował Turner.

Elwood zmarszczył pogardliwie brwi w reakcji na ten spektakl, na co z kolei Turner się uśmiechnął. Walka była ustawiona i nieuczciwa, tak samo jak zawody w wycieraniu talerzy, o czym Elwood mu opowiadał – kolejny trybik w machinie ciemiężącej czarnych. Turner cieszył się, że jego kolega zaczyna przejawiać skłonność do cynizmu, choć w tej chwili porwała go magia wielkiej walki. Widząc, jak Griff, ich wróg i czempion zarazem, robi duże kuku temu białemu chłoptasiowi, czuł się wspaniale. Wbrew sobie. Teraz, gdy zbliżała się ostatnia, trzecia, runda, Turner chciał ocalić to uczucie. Było rzeczywiste – we krwi i w umyśle – nawet jeśli tak naprawdę to jedno wielkie kłamstwo. Miał pewność, że Griff zwycięży, chociaż wiedział, że tak nie będzie. W końcu był naiwniakiem, kolejnym frajerem, ale co z tego.

Duży Chet natarł i wyprowadził serię szybkich prostych, które wcisnęły Griffa w narożnik. Czarny zawodnik znalazł się w defensywie. Teraz, pomyślał Turner. Ale Griff złapał przeciwnika w klincz, wytrzymał. Zaraz potem ciosy w korpus zrobiły z Cheta kołowrotek. Runda skurczyła się do sekund, a Griff nie ustępował. Chet roztrzaskał mu nos, aż chrupnęło, lecz kolos tylko się otrząsnął. Za każdym razem, gdy Turner dostrzegał idealny moment, żeby się podłożyć – precyzyjne ataki Cheta zamaskowałyby najgorsze aktorstwo – Griff nie korzystał z szansy.

Turner dźgnął łokciem Elwooda, który miał przerażoną minę. Wreszcie do nich dotarło: Griff nie zamierza polec. Szedł po swoje.

Nieważne, co miało być potem.

Gdy rozbrzmiał ostatni gong, dwaj chłopcy z Miedziaka stali w ringu spleceni, zakrwawieni, śliscy od potu. Podtrzymywali się nawzajem jak drągi tipi. Kiedy sędzia ich rozdzielił, skonani powlekli się do swoich narożników.

– Jasna cholera – mruknął Turner.

– Może to odkręcili – zasugerował Elwood.

Owszem, było możliwe, że sędzia został ustawiony i zamierzali zrobić szwindel przez drukowanie. Ale reakcja Spencera rozwiała tę hipotezę. Nadzorca był jedyną osobą w drugim rzędzie, która wciąż siedziała, z twarzą wykrzywioną grymasem wściekłości. Jeden z tłustych kocurów odwrócił się do niego i chwycił go za ramię.

Griff zerwał się na nogi, poczłapał na środek ringu i coś krzyknął. Ryki tłumu zagłuszyły jego słowa. Czarny Mike i Lonnie musieli go powstrzymywać, bo ich przyjaciel najwyraźniej stracił rozum. Chciał przejść przez ring.

Sędzia zarządził ciszę, żeby ogłosić werdykt. Pierwsze dwie rundy dla Griffa, ostatnia dla Dużego Cheta. Czarny chłopak był górą.

Zamiast jednak brykać triumfalnie po ringu, Griff wyrwał się z objęć kumpli i przebiegł przez ring do miejsca, gdzie siedział Spencer. Teraz Turner usłyszał wyraźnie:

– Myślałem, że to druga! Myślałem, że to druga!

Nadal tak wrzeszczał, gdy czarni chłopcy prowadzili go do internatu Roosevelta, wiwatując i skandując na cześć czempiona. Nigdy wcześniej nie widzieli, żeby Griff płakał, więc jego łzy wzięli za łzy triumfu.

Od ciosów w głowę może się mózg zlasować. Od ciosów w głowę można dostać porządnego kręćka. Turner nie sądził jednak, że można od tego pogubić się w liczeniu do trzech. Ale co tam, Griff nigdy nie był orłem z rachunków.

Tamtego wieczoru na ringu był nimi wszystkimi w jednym ciele, był też nimi wszystkimi, gdy biali zabrali go pod dwa dęby z obręczami. Przyszli po niego jeszcze tej samej nocy i przepadł. Gruchnęła plotka, że był za dumny, aby się podłożyć. Że odmówił życia na kolanach. A skoro chłopcom było lżej dzięki przekonaniu, że potem uciekł, że się wyrwał i zbiegł na wolność, to po co ktoś miał ich wyprowadzać z błędu, choć niektórzy zauważyli, że szkoła nie wszczęła alarmu i nie puszczono psów w pogoń. Gdy władze stanu Floryda wykopały go z ziemi pięćdziesiąt lat później, patolog sądowy stwierdził złamania kości nadgarstka i na tej podstawie domniemywał, że ofiara najpierw została obezwładniona i dopiero potem zmarła w wyniku innych obrażeń.

Większość tych, którzy wiedzieli o dwóch dębach z obręczami, już dziś nie żyje. Żelaza wciąż tam są. Zardzewiałe. Wrażone w słoje. Dające świadectwo każdemu, kto chce patrzeć i słuchać.

# Rozdział dziesiąty

- - - - - - - - - -

Łobuzy rozbiły głowy reniferom. Spodziewano się pewnego sfatygowania, gdy chłopcy zaczęli rozpakowywać delikatne ozdoby bożonarodzeniowe z poprzedniego roku. A tu powyginane poroże, złamana w stawie noga wisząca na farfoclach. Ich oczom ukazał się prymitywny wandalizm.

– Tylko spójrzcie. – Pani Baker westchnęła. Cmoknęła niezadowolona.

Jak na nauczycielkę w Miedziaku była dość młoda, ze skłonnością do wielkiego oburzania się. W zakładzie poprawczym jej niezawodny gniew był efektem żałosnego stanu pracowni plastycznej dla kolorowych uczniów, niedostatku przyborów i tego, co można by zinterpretować wyłącznie jako instytucjonalny opór wobec jej nowatorskich pomysłów. Młodzi nauczyciele nie zagrzewali dłużej miejsca w Miedziaku, ruszali dalej. „Niewdzięczna harówa".

Turner wyciągnął z głowy renifera zgniecioną gazetę i rozprasował ją. Nagłówek ogłaszał wynik pierwszej debaty między Nixonem a Kennedym: „Pogrom".

– Musztarda po obiedzie – skwitował.

Elwood podniósł rękę.

– Proszę pani, mamy robić wszystko od nowa czy tylko naprawić głowy? – spytał.

– Korpusy chyba da się uratować – odparła pani Baker. Skrzywiła się i zwinęła rude włosy w kok. – Więc połatajcie tylko głowy. Poprawcie jeszcze futerka na bokach i już. Za rok zrobimy wszystko od nowa.

Goście z północno-zachodniej części Florydy, całe rodziny z Georgii i Alabamy, wszyscy ściągali na coroczny jarmark bożonarodzeniowy, który był dumą administracji, okazją do kwesty, dowodzącą, że resocjalizacja jest nie tylko szczytną ideą, lecz także praktycznym działaniem. Operatywnością, trybami, kołami zębatymi. Kolorowe lampki dyndały, rozpięte na osiem kilometrów, od cedrów aż po dachy południowej części poprawczaka. Postawienie dziewięciometrowego Świętego Mikołaja u wlotu drogi dojazdowej wymagało użycia dźwigu. Instrukcja złożenia miniaturowego pociągu parowego, który krążył dokoła boiska, była przekazywana przez dziesięciolecia niczym zwoje papirusowe tajnej sekty.

Zeszłoroczna prezentacja przyciągnęła do Miedziaka ponad sto tysięcy gości. Nie ma powodu, stwierdził stanowczo dyrektor Hardee, żeby zacni wychowankowie zakładu poprawczego nie mogli pobić tego rekordu.

Budowaniem i demontażem wystroju – gigantycznych sań, dioramy z szopką betlejemską, torów kolejowych – zajmowali się biali uczniowie, a do czarnych należało głównie malowanie. Retusze, dodatki, poprawianie błędów artystycznych poprzednich, mniej starannych, wykonawców i odnawianie starych dekoracji. Przed wejściem do każdego internatu ustawiono szpaler złożony z metrowych lizaków, które niewątpliwie wymagały tu i ówdzie muśnięcia świeżą czerwoną i białą farbą. Monstrualne kartki bożonarodzeniowe, wielkości afisza, ukazywały opowiastki z życia Świętego Mikołaja na biegunie północnym, bohaterów baśni, takich jak Jaś i Małgosia, i trzy małe świnki, oraz historie biblijne. Karty ustawiono pochyło na stojakach przy wszystkich drogach na terenie Miedziaka, jakby ozdabiały sień wielkiej opery.

Uczniowie uwielbiali tę porę roku, obojętnie, czy przypominała im Boże Narodzenie – choćby najnędzniejsze – w rodzinnym domu, czy też po raz pierwszy w życiu obchodzili święta. Wszyscy dostawali prezenty – okręg Jackson był szczodry pod tym względem – tak samo biali jak czarni, nie tylko swetry i bieliznę, ale też rękawice do baseballu i pudełka żołnierzyków. Przez jeden dzień mogli być niczym chłopcy z dobrych domów w dobrej dzielnicy, gdzie noc była spokojna i nie przynosiła koszmarów.

Nawet Turner miał powody, żeby się uśmiechać, gdy dotknął kartki z wizerunkiem Piernikowego Ludzika i przypomniał sobie zawołanie tego bajkowego bohatera:

„Nie złapiecie mnie, nie złapiecie".

Właściwa postawa. Nie pamiętał jednak, jak kończyła się ta historia.

Pani Baker zwolniła go z codziennych obowiązków, więc dołączył do Jaimiego, Elwooda i Desmonda, którzy budowali dworzec kolejowy z papier mâché.

– Jaimie mówi, żeby to był Earl – szepnął Desmond.

To on znalazł puszkę, ale to Jaimie obmyślił plan. Była to zaskakująca propozycja ze strony ucznia, który właśnie dochrapał się rangi pioniera, a więc był już jedną nogą na wolności. Jaimie wychował się w Tallahassee, podobnie jak Elwood, nie potrafili jednak wymienić choćby jednego miejsca, które by ich łączyło. Inne osiedle to jak inne miasto. Mówiono, że ojciec Jaimiego jest pełnoetatowym drobnym oszustem i półetatowym regionalnym przedstawicielem fabryki odkurzaczy. Objeżdżał swoją trasę na północy stanu, pukał do drzwi. Nie było jasne, jak poznał matkę Jaimiego, niemniej chłopak był jednym dowodem ich zażyłej znajomości, a drugim – odkurzacz, który taszczyli ze sobą podczas częstych przeprowadzek.

Ellie, matka Jaimiego, zamiatała hale w rozlewni coca--coli przy South Monroe w All Saints. Jaimie i jego banda zbijali bąki na pobliskiej stacji rozrządowej. Grali w kości,

podawali sobie z rąk do rąk wyświechtanego „Playboya".
Był grzecznym chłopcem, chociaż zgoda, do szkoły miał
pod górkę, ale nigdy nie zobaczyłby Miedziaka od środka,
gdyby nie wspomniana stacja. Stary moczymorda, który
obrabiał wagony towarowe na rozjazdach, wcisnął któ-
remuś z chłopaków łapę w majtki, więc stłukli go do nie-
przytomności. Jaimie był jedynym, który biegał wolniej od
policjantów.

Podczas pobytu w Miedziaku ten meksykański chłopiec
trzymał się z dala od bójek, w których brała udział reszta uczniów, od niezliczonych sporów o granice psycholo-
gicznego terytorium i ich nieustanne naruszanie. Mimo że
ciągle przerzucano go między internatami, nie wychylał
się zanadto i postępował zgodnie z regulaminem Miedziaka – istny cud, bo nikt tego regulaminu na oczy nie widział, chociaż kadra bez przerwy się na niego powoływała.
Podobnie jak sprawiedliwość, istniał tylko teoretycznie.

Dlatego wrzucenie „wkładki" do szklanki kogoś z kadry nie leżało w jego charakterze.

Tak czy owak: Earl.

Desmond pracował na polach patatów. Bez szemrania.
Lubił zapach słodkich ziemniaków w sezonie zbiorów, tę
ciepłą torfiastą woń. Jak woń spoconego ojca, który wracał
po robocie do domu i sprawdzał, czy syn jest opatulony
kołdrą.

W poprzednim tygodniu Desmond należał do ekipy

skierowanej do posprzątania budynku gospodarczego, tego szarego, w którym trzymano traktory. Połowa żarówek się przepaliła, a w kątach zagnieździły się gryzonie. Ściany z sufitem spinał baldachim pajęczyn i Desmond dźgnął szczotką białe koronki, zachowując ostrożność, bo cholera wie, co mogło stamtąd wyskoczyć. Wśród ustawionych w stos puszek rozpoznał kilka i znalazł dla nich odpowiednie miejsce, ale etykieta na jednej zbyt już wypłowiała, aby można ją było przeczytać. Potrząsnął pojemnikiem – w środku jakieś ciało stałe. Spytał jednego ze starszych chłopców, co ma z tym zrobić, a ten odpowiedział, że puszki w ogóle nie powinno tu być.

– To lek dla koni, żeby się zrzygały, jak zjedzą coś niewłaściwego.

W pobliżu znajdowała się stara stajnia – być może barachło wylądowało w tym budynku, gdy ją zamknęli. W Miedziaku rzeczy na ogół trafiały tam, gdzie powinny, czasem jednak leniwy albo zbuntowany gówniarz łamał tę zasadę.

Desmond schował znalezisko pod wiatrówką i wrócił z nim do Cleveland.

Jeden z nich – gdy już było po wszystkim, nikt nie pamiętał który – zasugerował, aby dosypać tego komuś z kadry. No bo inaczej po co Desmond by to przyniósł? Lecz to Jaimie nadał pomysłowi realistyczny kształt poprzez spokojne odpieranie kontrargumentów.

– No to kogo chcecie poczęstować? – spytał kolegów.

Jego skłonność do jąkania się – miał wuja z ciężką ręką – słabła, gdy zadawał pytania, a podczas sporów o zrobienie użytku z puszki zanikła zupełnie.

Desmond zaproponował Patricka – sekcyjnego, który zbił go za to, że zmoczył się w łóżko, i w środku nocy kazał mu targać zasikany siennik do pralni.

– Chętnie zobaczyłbym, jak ten jebany wsioch zarzyga się na śmierć.

Siedzieli w świetlicy po lekcjach. Wokół nie było nikogo. Od czasu do czasu z boiska dobiegały okrzyki.

– No to komu chcecie podsypać?

Dugginowi, zasugerował Elwood. Pozostali nie wiedzieli, że miał z nim spięcie. Duggin był barczystym białasem, który patrolował teren z sennym, krowim wyrazem oczu. Miał zwyczaj nagle pojawiać się na drodze, jak kałuża albo dziura w ziemi, i wtedy wybrany pechowiec przekonywał się, że wielkie mięsiste łapska sekcyjnego są szybsze, niż się wydawało, bo błyskawicznie ściskały za łopatki albo dusiły chudą szyję. Kierownik Duggin, powiedział Elwood kolegom, wyrżnął go w żołądek za to, że rozmawiał z białym uczniem, chłopakiem, którego poznał w szpitalu. Stanowczo zniechęcano do bratania się wychowanków z dwóch części poprawczaka. Kumple pokiwali głowami, „Ma sens", ale wszyscy domyślali się, że tak naprawdę Elwood chce podsypać Spencerowi. Za pręgi na

nogach. Nikt nie miał śmiałości wymówić nazwiska nadzorcy choćby w przelotnym związku z tą fantazją, bo mar-
nowaliby ślinę.

– Ja bym poczęstował Wainwrighta – rzekł Turner. Powiedział im, że Wainwright przyłapał go na paleniu papierosów jeszcze podczas pierwszej odsiadki w Miedziaku.
Wyrżnął go w twarz tak mocno, że został guz na policzku. Wainwright miał jasną cerę, ale włosy i nos zdradzały,
że w jego żyłach płynie trochę murzyńskiej krwi. Bił więc
czarnych chłopców dlatego, że wiedzieli o nim to, czego
sam się wypierał. – Ja wtedy byłem bardziej zielony niż ty
teraz, El.

Potem już nikt nie przyłapał Turnera na paleniu.

Przyszła kolej na Jaimiego.

– Earl.

Tylko tyle, bez żadnego wyjaśnienia.

– Dlaczego?

– Już on wie.

Mijały dni, a oni – między partiami warcabów a me-
czami ping-ponga – dopracowywali spisek. Pojawiały się
nowe potencjalne ofiary zamachu, gdy widzieli, jak inny
uczeń jest źle traktowany, lub przypomnieli sobie nagle
własne niemiłe przeżycia, ostry opierdol, fangę w ucho.
Ale jedno imię utrzymywało się na czele listy: Earl. W końcu Elwood zrezygnował z kandydatury Duggina i też ob-
stawił Earla. Wprawdzie Earl nie katował go tamtej nocy

w Białym Domu, ale nie byłby anty-Spencerem, gdyby Spencera zabrakło. Był do niego dość podobny.

Być może Elwood znał już odpowiedź na pytanie, które sam zadał pewnego razu:

– Co to jest Świąteczny Obiad?

Określenie to widniało na wielkim kalendarzu wiszącym w sieni internatu. Desmond wyjaśnił, że to impreza nie dla nich, tylko dla kadry. Uczta w stołówce, podsumowująca kolejny rok ciężkiej pracy po północnej stronie poprawczaka.

– Plądrują wtedy chłodnie, żeby się nażreć dobrej wołowiny – powiedział Turner.

Wychowankowie zgłaszali się na kelnerów, bo oznaczało to możliwość gromadzenia punktów i zasług.

– Dobra okazja – dopowiedział Desmond, nie dopowiadając.

– Earl – rzucił Jaimie, jak zwyklę.

Czasami Earl pracował w południowej części poprawczaka, czasami w północnej. W normalnych okolicznościach wszyscy wiedzieliby o ewentualnym zatargu między Jaimiem a wychowawcą, ale ci dwaj spędzali sporo czasu po „białej stronie", więc nikt z tutejszych nie miał pojęcia, co tam zaszło. Może to była wizyta w Zaułku Kochanków, może pyskówka, a może któryś z białych chłopców wrobił Jaimiego w jakąś aferę? Earl był stałym uczestnikiem popijaw przy garażu. Gdy latarnia za parkingiem paliła się w nocy i dobiegały stamtąd odgłosy zabawy, modliłeś się, żeby nie wisiała nad tobą żadna kara cielesna i nie wybrali cię do randki w Zaułku Kochanków. Bo jedno i drugie zawsze kończyło się źle.

Dziwny lek w starej zielonej puszce. Chłopcy zebrali formuły i zaklęcia swojego wymiaru sprawiedliwości. Sprawiedliwości lub zemsty. Jednocześnie żaden z nich nie chciał przyznać, że od początku na serio obmyślają plan działania. Wracali wciąż do tego, gdy nadeszło Boże Narodzenie, pomysł krążył między nimi, żeby każdy po kolei mógł rozważyć jego doniosłość i cel. Gdy z abstrakcyjnej idei figiel przerodził się w konkret, pełen pytań w rodzaju „kto?", „jak?", „a co, jeśli?", Desmond, Turner i Jaimie wykluczyli Elwooda ze swojego sprzysiężenia, nawet sobie tego nie uświadamiając. Bo taki czyn nie zgadzał się z jego poczuciem moralności. Ciężko było sobie wyobrazić, że wielebny doktor Martin Luther King serwuje gubernatorowi Orvalowi Faubusowi parę deka ługu. Zresztą po wizycie w Białym Domu Elwood był cały poraniony, nie tylko na nogach. Miał pokancerowaną osobowość. Widać było, jak ściąga ramiona, gdy nadchodzi Spencer, jak drży i kuli się. Szybko wyłączył się z gadek o zemście, bo dopadła go brutalna rzeczywistość.

A potem nagle przestali o tym rozmawiać.

– Skończylibyśmy metr pod ziemią – podsumował Desmond, gdy po pewnym czasie Jaimie zainicjował kolejną rundę rozmów o tym, „kogo chcemy dopaść".

– Musimy być ostrożni – odparł Jaimie.

– Idę pograć w kosza – rzucił Desmond i ulotnił się.

Turner westchnął. Musiał przyznać, że ta zabawa zrobiła się nudna. Przez pewien czas miło było wyobrażać sobie, jak jeden z ich dręczycieli rzuca pawia na smakowite potrawy wystawione podczas Świątecznego Obiadu, obryzgując wszystkich tych wsiochów. Srając w gacie, z gębą czerwoną z boleści jak truskawka, targany odruchami wymiotnymi, aż z ust tryska już nie jedzenie, tylko ciemna krew. Co za wspaniała wizja, swego rodzaju lekarstwo na ból. Ale przecież tego nie zrobią, i ta świadomość wszystko zepsuła. Turner wstał, a Jaimie pokręcił głową i dołączył do grających w koszykówkę.

W piątek, w dniu Świątecznego Obiadu, ekipa prac społecznych odwalała swoją rundkę. Harper, Turner i Elwood przywieźli dostawę do sklepu z taniochą i wtedy nagle kierownik powiedział, że ma jeszcze coś do załatwienia.

– Wracam za chwilkę – rzucił. – Zaczekajcie tu.

Furgonetka odjechała. Turner i Elwood wyszli z zapyziałego zaułku na ulicę. Harper już wcześniej zostawiał ich bez nadzoru, gdy pracowali w domu jednego z członków zarządu szkoły. Ale nigdy nie przy Main Street. Elwood nie mógł w to uwierzyć, choć już dwa miesiące brał udział w pokątnych transakcjach.

– Możemy się przejść? – spytał.

– Tak, tylko nie rzucajmy się w oczy – odrzekł Turner, udając, że taka sytuacja zdarzyła się wcześniej wiele razy.

Widok podopiecznych zakładu poprawczego na Main Street nie był niczym wyjątkowym. Ubrani w zakładowe drelichy uczniowie kursowali w szarych szkolnych autobusach, jadąc do różnych robót – prawdziwych prac społecznych, a nie fuch, do których zaangażowano Turnera i Elwooda – sprzątali park po pokazie sztucznych ogni w Dniu Niepodległości czy po pochodzie w Dniu Założycieli. Raz w roku do kościoła baptystów przyjeżdżał chór, żeby popisać się pięknymi głosami, a wtedy sekretarki dyrektora Hardeego rozdawały koperty, do których wkładano datki. W miasteczku spotykało się też wychowanków z opiekunami, załatwiających różne sprawy. Jednak dwa czarne miedziaki bez nadzoru były niecodziennym zjawiskiem. Nastała pora lunchu i biali mieszkańcy Eleanor patrzyli na nich ze zdziwieniem. Chłopcy nie wyglądali podejrzanie ani groźnie. Ich opiekun prawdopodobnie kupował coś w tym sklepie żelaznym – pan Bontemps nienawidził asfaltów i zawsze kazał im czekać na zewnątrz. Po chwili zacni obywatele szli w swoją stronę, w końcu to nie ich sprawa.

Witryna sklepu z taniochą miała bożonarodzeniowy wystrój – nakręcane ludziki, kapiszonowce, kolejka elektryczna. Chłopcy wiedzieli, że powinni ukryć ekscytację na widok dziecięcych zabawek, które wciąż miały dla nich powab. Minęli szybko budynek banku. Wydawało im się, że to miejsce, gdzie bywają członkowie zarządu szkoły, a przynajmniej biali mający władzę, ci, którzy podpisują urzędowe dokumenty, jak choćby rozporządzenia dotyczące zakładu poprawczego.

– Dziwnie się tu czuję – wyznał Elwood.

– Nie jest źle – odparł Turner.

– Nikt na nas nie patrzy.

Dokoła było pusto – nastała południowa przerwa w życiu miasteczka. Turner rozejrzał się z uśmiechem. Wiedział, o czym Elwood myśli.

– Najczęściej gadają o ucieczce na bagna – rzekł. – Żeby zmyć z siebie zapach, to psy nie wywęszą, przyczaić się tam, dopóki się nie uspokoi, a potem ruszyć dalej. Na zachód albo na północ. Ale właśnie tak cię złapią, bo wszyscy wybierają tę samą trasę. Poza tym nie zmyjesz swojego zapachu, to tylko na filmach tak wygląda.

– To jak ty byś uciekł?

Turner wielokrotnie obrabiał to w głowie, ale nikomu dotychczas o tym nie mówił.

– Walisz na wolkę, a nie na bagna. Zwijasz jakieś ubranie wywieszone na sznurku. Kierujesz się na południe, nie na północ, bo tego się nie spodziewają. Pamiętasz te puste domy, co je mijamy, wożąc dostawy? Dom pana Graysona. Facet ciągle siedzi w stolicy, ma tam interesy. Jego dom stoi pusty. Wbijasz tam po potrzebne rzeczy, a potem jazda jak najdalej od psów, żeby się zmachały pogonią. Sztuka polega na tym, żeby nie robić tego, co oni myślą, że zrobisz. – Nagle przypomniał sobie najważniejsze. – I nie bierzesz nikogo ze sobą. Żadnego z tych kretynów. Bo pociągną cię na dno.

Podeszli do witryny drogerii. W środku blondynka pochylona nad wózkiem serwowała dziecku lody łyżeczką. Mały chłopczyk był brudny, cały umorusany czekoladą i przeszczęśliwy.

– Masz jakieś pieniądze? – spytał Turner.

– Tyle samo co ty.

Ani centa. Roześmiali się, bo wiedzieli, że w drogerii nie obsługują kolorowych klientów – śmiech niekiedy wybijał kilka cegieł z wysokiego i rozległego muru segregacji. Śmiali się też dlatego, że lody były akurat ostatnią rzeczą, której pragnęli.

Wstręt Elwooda do lodów był zrozumiały – wizyta w Białym Domu, zwanym także Wytwórnią Lodów, odcisnęła na nim piętno. Turner z kolei nienawidził ich z powodu narzeczonego swojej ciotki, który się do nich wprowadził, gdy on miał jedenaście lat. Mavis była siostrą jego matki i jego jedyną krewną. Władze stanu Floryda nie wiedziały o jej istnieniu, stąd w formularzach pusta rubryka, w której powinno widnieć jej nazwisko, niemniej mieszkał z nią przez pewien czas. Jego ojciec, Clarence, był włóczykijem, czego nie trzeba mu było mówić, bo sam cierpiał na tę przypadłość. Turner zapamiętał ojca jako parę dużych brązowych dłoni i chrapliwy śmiech. Gdy słyszał szelest liści jesienią, ten śmiech rozbrzmiewał mu w uszach. Tak samo dawnym miedziakom przypominał się Biały Dom, kiedy dziesiątki lat później słyszeli ostry trzask skórzanego pasa.

Turner miał trzy lata, gdy widział ojca po raz ostatni. Potem stary był już jak wiatr. Matka, Dorothy, została trochę dłużej, na tyle, żeby zadławić się na śmierć własnymi wymiocinami. Miała słabość – uwielbiała zajzajer, im mocniejszy, tym lepiej. Skonała w agonii od syfu, który wypiła tamtej nocy, skręcona, sina i zimna na kanapie w dużym pokoju. Wiedział, gdzie jest teraz matka – metr pod ziemią na cmentarzu Świętego Sebastiana – a to była jego jedyna przewaga nad tym wzorem cnót o imieniu Elwood. Bo rodzice Elwooda przepadli na zachodzie i nawet nie przysłali widokówki. Co za matka zostawia swoje dziecko w środku nocy? Taka, która ma je w dupie. Turner zakonotował sobie, żeby użyć tego argumentu jako ciosu poniżej pasa, jeśli kiedykolwiek będzie miał z Elwoodem prawdziwy zatarg. Wiedział, że jego matka go kochała. Tyle że jeszcze bardziej kochała wódę.

Potem przygarnęła go ciotka; pilnowała, aby miał porządne ubranie do szkoły i jadł trzy posiłki dziennie. W każdą ostatnią sobotę miesiąca wkładała tę elegancką czerwoną suknię, spryskiwała szyję perfumami i wychodziła, żeby spędzić wieczór z grupą koleżanek, ale oprócz tego jej całym życiem był szpital, w którym pracowała jako pielęgniarka, no i Turner. Nikt nigdy nie nazwał jej ładną kobietą. Miała łagodne czarne oczy i cofnięty podbródek, więc gdy Ishmael zaczął ją podrywać, od razu była ugotowana. Mówił jej, że jest piękna, mówił też mnóstwo innych słów, których nigdy wcześniej nie słyszała. Był serwisantem na lotnisku w Houston, a gdy zjawiał się z kwiatami, niemal maskowały przemysłową woń, którym przesiąknęła jego skóra, bez względu na to, jak często się mył.

Ishmael okazał się skrytym zagrożeniem – skłonność do przemocy gromadził w sobie jak akumulator energię. Potem Turner nauczył się rozpoznawać ten typ. Jakże Mavis się rozpromieniała na myśl o Ishmaelu, podśpiewując piosenki z ulubionych musicali i zamykając się z lokówką w łazience, gdy w tle trzeszczało radio tranzystorowe. Czasem fałszowała. Turnerowi nigdy nie przyszło do głowy, żeby spytać, dlaczego przez bite dwa tygodnie nosiła ciemne okulary, dlaczego w niektóre dni wychodziła ze swojego pokoju dopiero po południu, utykając i pojękując cicho.

Nazajutrz po tym, jak Turner podczas kolejnych rękoczynów stanął w obronie Mavis, Ishmael zabrał go na lody. Do A.J. Smitha przy Market Street. „Dajcie temu młodemu człowiekowi największy deser, jaki macie". Przy każdym przełknięciu chłopiec czuł piach w gardle. Zjadł wszystko do końca, a potem przyszło mu do głowy, że dorośli zawsze próbują przekupić dzieci, żeby zapomniały, co nawyrabiali. Smak tej świadomości miał w ustach, gdy ostatni raz uciekł od ciotki.

Raz w miesiącu w Miedziaku podawano wychowankom lody waniliowe i wszyscy piszczeli z radości jak prosiaki w chlewie, aż Turner miał ochotę dać każdemu kretynowi w ryj. W trzecią środę miesiąca wnosił z Elwoodem większość lodów przydzielonych poprawczakowi na zaplecze drogerii. Miał poczucie, że wyświadcza przysługę swoim kolegom z Miedziaka, że oszczędza im bólu.

Jasnowłosa kobieta pchnęła wózek w stronę wyjścia, a Elwood przytrzymał jej drzwi. Nie skwitowała tego ani słowem.

Podjechał Harper i machnięciem ręki kazał im wsiadać.

– Grzeczni byliście? – spytał.

– Tak, proszę pana – odparł Turner i szepnął do Elwooda: – Tylko mi nie ukradnij mojego planu. To czyste złoto.

Wcisnęli się do furgonetki.

Gdy mijali budynek administracji, jadąc do czarnej części poprawczaka, zobaczyli, że zaaferowani biali uczniowie stoją w grupkach na trawniku. Harper zwolnił i przywołał jednego ze swoich wychowanków.

– Co się dzieje?

– Zabrali pana Earla do szpitala. Coś z nim mocno nie tak.

Harper zaparkował furgonetkę przy magazynie i pobiegł do szpitala, a Elwood i Turner wycofali się do Cleveland. Pierwszy popatrywał na wszystkie strony jak wiewiórka, a drugi próbował zachować kamienną minę, przez co wyglądał jak robot solarny. Potrzebowali wiadomości. Pomimo segregacji rasowej obóz białych i obóz czarnych wymieniały się informacjami dla własnego dobra. Czasem Miedziak przypominał dom rodzinny, gdzie znienawidzony starszy brat albo siostra ostrzegali cię przed ojcem, który akurat miał zły humor lub zdrowo popił, żebyś się zawczasu przygotował.

Desmonda znaleźli przed stołówką dla kolorowych. Turner zajrzał do środka. Stół kadry wciąż był zastawiony do uroczystego posiłku – wywrócone krzesła wskazywały jednak na jakieś niecodzienne zdarzenie, a smuga krwi znaczyła podłogę w miejscu, gdzie wleczono Earla.

– To chyba nie był lek. – W głosie Desmonda przebijał złowrogi ton.

Turner huknął go pięścią w biceps.

– Zabiją nas przez ciebie!

– To nie ja! – zaprzeczył Desmond. – To nie ja! – Spojrzał ponad ramieniem kolegi w stronę Białego Domu.

Elwood zatkał mu dłonią usta. W śladach krwi odcisnęła się połowa roboczego buta. Odwrócił się i popatrzył w dół wzgórza. Żeby sprawdzić, czy już po nich idą.

– Gdzie jest Jaimie?

– Cholerny czarnuch – rzucił Desmond.

Zaczęli naradzać się na schodach przed stołówką. Turner zasugerował, żeby pokręcić się dokoła i zebrać od chłopaków informacje o stanie Earla. Nie zaproponował, żeby zostali w tym miejscu, bo dzielił ich zaledwie rzut beretem od drogi graniczącej ze wschodnią częścią poprawczaka. Jeśli Spencer nadciągnie z ekspedycją karną, to dopadnie ich w okamgnieniu. „Nie złapiecie mnie. Jestem Piernikowym Ludzikiem".

Jaimie pojawił się godzinę później, wyglądał na zmęczonego i trochę oszołomionego, jakby się właśnie przejechał kolejką górską. Uzupełnił historię, którą poznali z ust innych chłopców. Świąteczny Obiad rozpoczął się jak zwykle. Specjalnym obrusem, wietrzonym raz w roku, nakryto stół, przy którym miała zasiąść kadra, a elegancka zastawa została wytarta z kurzu. Wychowawcy zajęli miejsca i zaczęli pić piwo; opowiadali sobie pikantne dowcipy i wymieniali się soczystymi fantazjami o co bardziej biuściastych sekretarkach i nauczycielkach. Było głośno, dobrze się bawili. Po kilku minutach Earl zerwał się na nogi i chwycił za brzuch. Najpierw myśleli, że się zadławi. Ale zaraz bluznął strumieniem dopiero co pochłoniętego jedzenia. Gdy pojawiła się krew, zanieśli go do szpitala.

Jaimie powiedział, że czekał z grupą uczniów przed szpitalem, aż w końcu Earla zabrała karetka.

– Jesteś świrnięty – skwitował Elwood.

– Ja tego nie zrobiłem – odparł Jaimie. – Grałem w piłkę, wszyscy mnie widzieli.

– Puszka zniknęła z mojej szafki – oznajmił Desmond.

– Mówię wam, że to nie ja. Może ktoś włamał się do twojego pierdolnika i sam to zrobił. – Jaimie puknął Desmonda w ramię. – A pieprzyłeś, że to lek dla koni!

– No bo tak mi tamten powiedział. Sam widziałeś, że był koń na etykiecie.

– Równie dobrze to mogła być koza – wtrącił Turner.

– No i co z tego, że koń? – spytał Elwood. – Może to była trutka na konie.

– Albo na kozy.

– Po co ktoś chciałby truć konie, głąbie jeden? – warknął Desmond. – To nie szczury. Do koni się strzela, jeśli już.

– Palant ma szczęście, że nie wykitował – stwierdził Jaimie.

Elwood i Desmond przepytywali go dalej, ale uparcie trzymał się swojej wersji.

Trudno jednak było nie dostrzec uśmieszku, który od czasu do czasu błąkał się w kącikach jego ust. Turner się nie wściekał, że Jaimie łże im prosto w oczy. Podziwiał kłamców, którzy konsekwentnie kłamali, bo chociaż ich kłamstwa były oczywiste, nikt nie mógł z tym nic zrobić. Kolejny dowód bezsilności człowieka w konfrontacji z innymi. Jaimie nie zamierzał się przyznać, więc Turner po prostu przyglądał się chłopcom i zamieszaniu u podnóża wzniesienia.

Earl nie umarł. Nie wrócił też do pracy. Zalecenie lekarza. Usłyszeli o tym w następnych dniach. A kilka tygodni później przekonali się, że następca Earla, wysoki facet o nazwisku Hennepin, był zrobiony z jeszcze gorszego materiału. Niejeden chłopiec padał ofiarą jego okrutnych kaprysów. Niemniej ten pierwszy wieczór przetrwali bez chłosty, a gdy doktor Cooke stwierdził, że atak niestrawności był skutkiem kondycji Earla – w jego rodzinie zdarzyły się podobne przypadki – Turner przestał obmyślać ucieczkę.

Tuż przed zgaszeniem świateł stał z Elwoodem w pobliżu dużego dębu rosnącego przed internatem. Na terenie poprawczaka nastał spokój. Turner miał ochotę zapalić, ale jego papierosy leżały na poddaszu magazynu. Zaczął więc gwizdać tę piosenkę Elvisa, którą Harper puszczał podczas ich wypadów do miasteczka.

Nocne owady wszczęły rejwach.

– Ale chujnia, El.

– Tak, chociaż żałuję, że mnie przy tym nie było, że nie widziałem.

– Ha.

– I żałuję, że to nie Spencer – dodał Elwood. – Byłoby miło. – Sięgnął dłonią do tylnej strony uda, do miejsca, które pocierał, gdy przypominał sobie tamto.

Usłyszeli okrzyk. U podnóża wzniesienia wychowawcy zapalili światełka bożonarodzeniowe i teraz chłopcy mogli obejrzeć efekt swojej ciężkiej pracy w ostatnich tygodniach. Zielone, czerwone i białe żarówki wytyczały szlak świątecznej radości wokół drzew i południowej części Miedziaka. Daleko w mroku wielki Święty Mikołaj, stojący przy wejściu, jarzył się od środka demonicznym blaskiem.

– Niezła oprawa – rzucił Turner.

Za Białym Domem migoczące światła kreśliły sylwetkę starej wieży ciśnień – przy ich zawieszaniu jeden z białych uczniów spadł z drabiny i złamał obojczyk. Światełka unosiły się na dużych krzyżakowych podporach, wiły dokoła ogromnego zbiornika, otaczały jego trójkątny wierzchołek. Jak startujący statek kosmiczny. To przypomniało coś mgliście Turnerowi i zaraz potem skojarzył – wesołe miasteczko, lunapark z reklam telewizyjnych. Ta durna wesoła muzyczka, samochody elektryczne i kolejka górska, no i właśnie, rakieta atomowa. Chłopaki gadały o tym od czasu do czasu, no że tam pójdą, jak już będą na wolce. On uważał to za głupotę. Przecież czarnych nie wpuszczają do takich fajnych miejsc. Ale oto widział rakietę przed sobą, skierowaną ku gwiazdom, przystrojoną setką migoczących światełek. Wystrzeloną w stronę innej ciemnej planety, której nie mogli zobaczyć.

– Ładnie to wygląda – powiedział.

– Wykonaliśmy kawał dobrej roboty – odparł Elwood.

# CZĘŚĆ TRZECIA
----------

# Rozdział jedenasty

- - - - - - - - - -

– Elwood.

Odpowiedział stęknięciem z dużego pokoju, gdzie okno ukazywało wycinek Broadwayu poniżej. Zakład szewski Sammy'ego, zamknięte biuro podróży i pas rozdzielczy. Kąt widzenia czynił z miasta trapez, jego osobistą zabawkę. To było dobre miejsce do palenia papierosów, więc nauczył się przysiadywać na parapecie w taki sposób, żeby nie męczyć pleców.

– Idę po lód – powiedziała Denise. – Dłużej tego nie wytrzymam.

Zamknęła za sobą drzwi na zamek. W zeszłym tygodniu dał jej komplet kluczy.

Upał mu nie przeszkadzał. Owszem, miasto umiało zafundować człowiekowi upiorne lato, ale w tych ciepłych dniach nie było nic ze skwaru Południa. To, jak nowojorczycy narzekali na wysoką temperaturę – w metrze, w winiarni – wywoływało w nim chichot, odkąd tu się zjawił. Wtedy też trwał strajk śmieciarzy, zaczął się jego pierwszego dnia pobytu w mieście, ale był luty. Wcale tak bardzo nie śmierdziało. Teraz, ilekroć wychodził z holu na ulicę, smród był gęsty jak chaszcze – chciałby mieć maczetę, żeby wyciąć sobie drogę. A to dopiero drugi dzień strajku.

Dziki strajk w roku 1968 – posmakował miasta tak umęczonego, że musiał to uznać za otrzęsiny. Na chodniku tłoczyły się metalowe kontenery – przepełnione, nietknięte od dawna – a obok nich ustawiano w sterty zawiązane worki i pudła kartonowe ze świeżymi śmieciami. Zazwyczaj unikał komunikacji publicznej w nowym miejscu, dopóki się z nim nie oswoił, a metrem nigdy wcześniej nie jeździł. Pokonał na piechotę całą drogę z Port Authority. Marsz w linii prostej był niemożliwy, trzeba było kluczyć między górami śmieci. Gdy dotarł do Statlera, taniej czynszówki przy Dziewięćdziesiątej Dziewiątej Ulicy, zobaczył, że lokatorzy przekopali nogami ścieżkę między dwoma monstrualnymi stosami śmieci, żeby mieć dostęp do budynku. Szczury śmigały wte i wewte. Gdyby ktoś chciał włamać się do mieszkania na piętrze, wystarczyło wdrapać się po śmieciach.

Administrator dał mu klucz do lokalu na czwartym piętrze. Płyta grzejna, wspólna łazienka w korytarzu. Jeden z gości, z którymi pracował w Baltimore, powiedział mu o tej norze, kreśląc przerażający obraz. Ale nie było aż tak źle, jak facet to przedstawił. Zatrzymywał się już w gorszych miejscach. Po kilku dniach kupił środek czyszczący w ogólnospożywczym, bo postanowił sam wyszorować toaletę i prysznic. Wszyscy inni mieli to gdzieś – taka to była melina. Co tam, w swoim życiu wyszorował już wiele kibli w wielu miejscach.

Na kolanach, w smrodzie. Witamy w Nowym Jorku.

W dole Denise przemknęła przez widoczny fragment Broadwayu. Z poziomu ulicy pas rozdzielczy wydawał się czysty. Z drugiego piętra, gdy patrzyło się nad ławkami i drzewami, było widać śmieci wciskające się w wentylatory metra i płyty chodnikowe. Torby papierowe, butelki po piwie, gazety. Syf był wszechobecny, całe jego zwały. Z powodu obecnego strajku wszyscy widzieli teraz to, co on widział zawsze. To miasto to jeden wielki chlew.

Zgasił kiepa w filiżance i dotarł do kanapy bez ukłucia igły. Odkąd nadwerężył plecy, często się zapominał, wykonywał zbyt szybki ruch i nagle auć! – bolesna igła w kręgosłupie. Auć, gdy siedział na sedesie, auć, gdy podciągał spodnie. Wył jak pies i zwijał się w kłębek na podłodze przez kilka minut. Czuł na skórze chłód zimnych kafelków. Sam był sobie winien. Nigdy nie wiadomo, co się znajduje w szufladach i pudłach. Gdy przeprowadzali tego starego Ukraińca – policjanta, który przeszedł na emeryturę

i wynosił się do Filadelfii, gdzie mieszkała jego siostrzeni-
ca – pochylił się, żeby dźwignąć szafkę, i wtedy trzasnął
mu kręgosłup. Larry stwierdził, że aż w korytarzu usłyszał
chrupnięcie w plecach. Gliniarz trzymał w niej hantle. Razem sto pięćdziesiąt kilo, na wypadek gdyby w środku
nocy zachciało mu się poćwiczyć. A ostatnio plecy wy-
kończyło mu drewniane biurko – wyglądało niewinnie,
problem w tym, że tyrał na dodatkowe zmiany, żeby więcej zarobić. Niewyspany i rozlazły. „Musisz uważać na te
nowoczesne duńskie graty", powiedział Larry. Gdy wróciła Denise, poprosił ją, żeby napełniła znowu termofor,
skoro i tak szła do kuchni, by przygotować więcej rumu
z colą.

Nocą najczęściej w okolicy panował hałas, grali salsę,
a tego wieczoru zrobiło się jeszcze głośniej, bo wszyscy po-
otwierali okna z powodu upału, poza tym nazajutrz wypadało Święto Niepodległości. Ludzie mieli wolne. Jeśli ból
w kręgosłupie trochę odpuści, wybiorą się na Coney Island
na pokaz fajerwerków, dziś jednak chcieli zostać w domu,
żeby obejrzeć *Ucieczkę w kajdanach* na czwórce. Sidney
Poitier i Tony Curtis, dwaj skazańcy skuci razem łańcu-
chem, uciekają przez bagna, tropieni przez psy i tępawych
szeryfów z karabinami. Głupi hollywoodzki kit, ale zawsze
starał się oglądać ten film, gdy go pokazywali, zwykle
przed północą, Denise zaś lubiła Sidneya Poitier.

Pokoje umeblował odpadami z pracy. Zrobiła się z tego swego rodzaju wystawa mebli nowojorczyków ze wszystkich zakątków miasta, rotacyjna, bo gdy przyjeżdżają nowe, wyjeżdżają stare. Królewskie łoże z takim twardym materacem, jak lubił, kredens z bajeranckimi mosiężnymi okuciami, lampy, dywany. Ludzie mnóstwo wyrzucają, gdy się przenoszą – czasem zmieniają nie tylko miejsce, ale i osobowość. Hop na wyższy albo niższy szczebel drabiny społecznej. Może łóżko nie będzie pasowało do nowej sypialni, może kanapa jest za kwadratowa albo są nowożeńcami i mają w planach inny wystrój salonu. Większość białych zmykała na przedmieścia, na Long Island i do Westchester, zaczynali od nowa, odtrącając miasto, a to oznaczało wyzbycie się elementów własnego wizerunku. On i chłopaki z Horizonu kładli łapsko na łupach, zanim pojawił się handlarz starzyzną. Kanapa, na której leżał w tej chwili, była jego dwunastą w ostatnich siedmiu latach. Ciągłe podwyższanie standardu. To jedna z zalet roboty w przeprowadzkach, chociaż czasem plecy nie wytrzymywały.

Mimo że grzebał w starych meblach jak człowiek będący w drodze, prawda była taka, że zapuścił korzenie. Oprócz domu rodzinnego to właśnie w tym miejscu mieszkał najdłużej. Pobyt w Nowym Jorku zaczął w Statlerze, został tam kilka miesięcy, aż znalazł robotę na zmywaku w knajpie 4 Brothers. Trochę się przemieszczał – suburbia, hiszpański Harlem – w końcu zahaczył się w Horizonie, dostał stałą robotę i przeskoczył na Osiemdziesiątą Drugą tuż przy Broadwayu. Wiedział, że weźmie to mieszkanie, gdy tylko administrator otworzył szeroko drzwi: tutaj. Już cztery lata i jeszcze nie powiedział ostatniego słowa. „Teraz jestem klasa średnia", żartował sobie. Nawet karaluchy były lepszego chowu, bo zmykały, gdy zapalił światło w łazience, zamiast go bezczelnie ignorować. Nieśmiałość uważał za przejaw klasy.

Wróciła Denise.

– Słyszałeś mnie na zewnątrz? – spytała.

Weszła do kuchni i nożem do masła dźgnęła torbę z lodem.

– Co?

– Szczur mi przebiegł po stopach i krzyknęłam. To byłam ja.

Denise, wysoka i zahartowana Harlemem kobieta, mogłaby grać w koszykówkę w którejś z żeńskich lig. Jedna z tych dziewczyn z wielkiego miasta, co nie boją się niczego. Widział, jak sklęła bezczela, który szepnął jej coś nieprzyzwoitego, doskoczyła śmiało, nos w nos – ale na widok szczura piszczała jak siusiumajtka. Denise z całą pewnością nie była siusiumajtką, więc gdy mówiła coś podobnego, zawsze go to zaskakiwało. Mieszkała przy

Sto Dwudziestej Szóstej, obok pustej parceli, ale z powodu upału i strajku śmieciarzy to miejsce się teraz ożywiło. Skurwiele były wszędzie, wyskakiwały z podziemnych kryjówek. Denise dodała, że poprzedniego wieczoru widziała szczura wielkiego jak pies.

– I szczekał.

Zasugerował, że może faktycznie to był pies, jednak nie chciała wracać do domu, a on ucieszył się, że zostanie.

W tym tygodniu jej zajęcia w środę wieczorem odwołano z powodu święta. On też miał wolne tego popołudnia, spał, gdy przyszła i wsunęła się do łóżka obok niego. Obudził go brzęk jej dużych srebrnych kolczyków odkładanych na stolik nocny – zdobytych dzięki uprzejmości rodziny Atkinsonów. Z Turtle Bay na York Avenue, rodzina z trojgiem dzieci, psem i jadalnią wyposażoną w sprzęt z domu towarowego Gimbels. Teraz już wiedziała, w którym dokładnie miejscu bolą go plecy, więc zaczęła tam uciskać, a potem kazała mu się przekręcić i położyć na niej. Gdy skończyli spleceni, w pokoju zrobiło się goręcej o kilka stopni. Ciepły rum z colą dawał wytchnienie na trochę, a potem przestawał działać i przychodziła kolej na lód.

Poznali się w szkole średniej przy Sto Trzydziestej Pierwszej Ulicy. Wieczorami odbywały się tam zajęcia dla dorosłych. On doszkalał się do matury, ona uczyła angielskiego Dominikańczyków i Polaków w sali obok. Z zaproszeniem jej na randkę zaczekał do skończenia kursu. Otrzymał świadectwo i poczuł dumę – i właśnie wtedy nadeszła jedna z tych chwil, gdy człowiek uświadamia sobie, że nie ma w swoim życiu nikogo, kto ucieszyłby się z jego nieczęstego sukcesu. Od pewnego czasu kołatała mu w głowie myśl o zrobieniu matury. Hołubił ją jak płomień świecy osłaniany dłońmi przed wiatrem. Wciąż widział reklamy w metrze – „Dokończ naukę wieczorami na własnych warunkach" – i gdy dostał ten świstek papieru, był tak uszczęśliwiony, że powiedział sobie: jebać to, i podszedł do niej śmiało. Duże brązowe oczy i szlak piegów na nosie. „Na własnych warunkach". Właściwie zawsze tak postępował.

Zaprosił ją, ale odmówiła. Spotykała się z kimś. Lecz miesiąc później zadzwoniła do niego i poszli na kubańską chińszczyznę.

Denise przyniosła rum z colą i lodem.

– Mam też kanapki – powiedziała.

Przygotował stolik pod telewizor, porzucony przez pana Watersa, który przeniósł się ze swoim majdanem z Amsterdam Avenue na Arthur Avenue w Bronxie. Stolik się składał, więc pasował idealnie między kanapę a blat, o tak. Nobel z fizyki dla faceta, który to wymyślił.

– Powinni w końcu ruszyć dupę i to posprzątać – dobiegł głos Denise z kuchni. – Beame musi wreszcie zadzwonić i porozmawiać z nimi.

Uważała burmistrza za palanta i cieszyła się ze strajku, bo była to okazja do wyrażenia krytyki. Wymieniała swoje powody do narzekań, gdy Elwood poruszał anteną widełkową, żeby dostroić kanał czwarty. Po pierwsze, smród, powiedziała. Smród gnijącego jedzenia i wybielacza rozpryskiwanego przez inspektorów sanitarnych. Wybielacz miał zwalczać muchy, których roje zasnuwały miasto jak gęsta mgła, i larwy wijące się na chodnikach. Do tego dochodził dym. Ludzie podpalali śmieci, żeby się ich pozbyć – nie rozumiał tego, a uważał siebie za znawcę zwierzęcia zwanego człowiekiem – i słabe powiewy wiatru roznosiły dym między budynkami. Wyły syreny wozów strażackich przemykających po alejach i zaułkach.

Plus szczury.

Westchnął. W każdej dyskusji, bez względu na to, po której stronie sporu stawał, zawsze obwiniał Człowieka, to zasada numer jeden. Gliniarzy i polityków, upasionych biznesmenów i sędziów, całą tę bandę skurwysynów pociągających za sznurki.

– Chwycili ich za jaja i powinni mocno ścisnąć – powiedział. – W końcu to klasa pracująca.

Burmistrz Beame, Nixon i jego badziewie – to prawie wystarczyło, żeby zachciało mu się głosować. Unikał jednak spraw publicznych, żeby nie kusić licha.

– Usiądź, kochanie – zwrócił się do Denise. – Ja to zrobię.

– Już wszystko zrobiłam – odparła.

Nawet nastawiła czajnik – zagwizdał – żeby był wrzątek do termoforu.

Otworzył okno w sypialni, aby przewietrzyć mieszkanie, bo dym z palących się śmieci przenikał do środka od strony ulicy. Denise miała rację. Będzie upiornie, jeśli ten strajk potrwa tak długo jak ostatni. Na dworze było strasznie. Ale to dobrze, bo wszyscy wreszcie zobaczą, w jakim mieście żyją.

Niech choć raz spojrzą z jego perspektywy. Ciekawe, jak im się to spodoba.

Prowadzący wiadomości podał prognozę pogody na wakacje, potem w krótkich słowach przedstawił sytuację strajkową – „rozmowy trwają" – a na końcu zapowiedział film o dziewiątej.

Stuknął się kieliszkiem z Denise.

– Teraz jesteśmy małżeństwem – powiedział. – To obrączka.

– Że co?

– Cytat z filmu. Sidney Poitier tak gada. Podnosząc łańcuch, którym go przypięli do tego wsiocha.

– Uważaj lepiej, co mówisz.

Jasne, sens słów zmieniał się w zależności od tego, kto mówi i do kogo. Podobnie jak koniec filmu. Z jednej strony żadnemu z dwóch skazańców się nie udało. Ale można na to spojrzeć inaczej – każdy z nich dwóch zdołałby się wyrwać na wolność, gdyby pozwolił drugiemu umrzeć. A może to wszystko jedno, bo i tak mieli przejebane? Przestał oglądać ten film kilka lat później, gdy uświadomił sobie, że lubił go nie z powodu banalności ani fałszywie przedstawionych realiów, ani dlatego, że dzięki niemu widział, jak daleko zaszedł, ale dlatego, że ogarniał go wtedy smutek, a świrnięta część jego osobowości pragnęła tego uczucia. W pewnym momencie zrozumiał, że mądrzejszą taktyką jest unikanie tego, co człowieka dołuje.

Tego wieczoru nie obejrzał filmu do końca, bo Denise miała na sobie dżinsową spódniczkę, a widok jej dużych ud zwyczajnie go rozkojarzył. Wyciągnął rękę, gdy pojawiła się reklama środka na nadkwasotę.

*Ucieczka w kajdanach*, potem seks, potem sen. Wozy strażackie w nocy. Nazajutrz rano musiał wstać i wyjść, obojętne, czy plecy będą go boleć, bo o dziesiątej miał się spotkać z tym facetem i kupić furgonetkę. W bucie pod łóżkiem schował zwitek pieniędzy, więc ominie go przyjemność dodania do tego kolejnych dwudziestu dolców w dniu wypłaty. Zerwał ulotkę z automatu pralniczego, żeby nikt go nie ubiegł: ford econoline, rocznik 67. Wymagał odnowienia, ale chłopaki przy Sto Dwudziestej Piątej winni mu byli przysługę. No i potem fuchy w Horizonie będzie uzupełniał robotą na własną rękę. W weekendy będzie ściągał Larry'ego, żeby ten mógł spłacić swoją starą. Na inspektorat sanitarny nie można było liczyć, ale Larry, utyskujący na konieczność płacenia alimentów, okazywał się niezawodny jak amerykańska stal.

Postanowił nazwać swoją firmę „As – Przeprowadzki". AAA już ktoś podebrał, a on chciał być na górze spisu w książce telefonicznej. Dopiero po pół roku uświadomił sobie, że zapożyczył to słowo ze swoich czasów w Miedziaku. As – na wolce, żeby kluczyć przez życie.

# Rozdział dwunasty

- - - - - - - - - -

Były cztery sposoby, żeby się wydostać z Miedziaka.

Pierwszy: odsiedzieć do końca. Przeciętny wyrok wynosił od pół roku do dwóch lat, lecz administracja zakładu poprawczego mogła prawomocnie skrócić ten czas według własnego uznania. Warunkiem było dobre sprawowanie – sumienny uczeń pieczołowicie gromadził punkty i zasługi, żeby awansować na asa. Wracał wtedy na łono rodziny, a bliscy albo witali go z radością, albo krzywili się na jego widok, bo była to zapowiedź kolejnego nieszczęścia. Jeśli chłopak w ogóle miał rodzinę. Jeśli nie miał, instytucje stanu Floryda zajmujące się losem sierot przydzielały mu opiekę, czasem bardziej troskliwą, czasem mniej.

Można było też zakończyć odsiadkę, osiągając pełnoletność. W Miedziaku pokazywano drzwi każdemu, kto skończył osiemnaście lat: uścisk dłoni i kieszonkowe na drogę. Wychowanek był wolny, mógł wrócić do domu lub do obojętnego świata, co najprawdopodobniej oznaczało ponowne zejście na manowce. Chłopcy przybywali do Miedziaka poranieni przez życie w najprzeróżniejszy sposób, a podczas swojego pobytu w zakładzie zaliczali kolejne sińce i urazy. Potem często czekały ich jeszcze poważniejsze błędy i bardziej ponure instytucje. Jeśli chciałoby się scharakteryzować ogólną tendencję, należałoby stwierdzić, że miedziaki miały przejebane wcześniej, w trakcie i potem.

Drugi: mógł interweniować sąd. Nadprzyrodzone zrządzenie losu. Zmaterializowała się dawno niewidziana ciotka albo starszy krewniak, chętni, by ulżyć władzom stanu w sprawowaniu pieczy nad łobuzem. Adwokat zatrudniony przez kochaną mamusię – o ile miała pieniądze – upominał się o miłosierdzie dla chłopca z uwagi na zmianę sytuacji. „Teraz, kiedy zabrakło jego ojca, potrzebujemy nowego żywiciela rodziny". Sędzia prowadzący sprawę – jakiś nowy albo ten sam zgorzknialec – mógł też wkroczyć z własnej inicjatywy. Na przykład dlatego, że pieniądze trafiły z rąk do rąk. Ale jeśli w grę wchodziłaby łapówka, to chłopak w ogóle nie powinien trafić do Miedziaka. Tak czy owak, wymiar sprawiedliwości był skorumpowany i kapryśny, więc czasem delikwent wychodził z poprawczaka w okolicznościach zakrawających na interwencję samego Pana Boga.

Trzeci: można było umrzeć. Nawet z „przyczyn naturalnych", w błędnym kole złych warunków bytowych, niedożywienia i zaniedbania. Latem 1945 roku młody chłopiec umarł z powodu niewydolności serca po tym, jak zamknięto go w „wyciskarce", co było wówczas popularnym środkiem resocjalizacji, a lekarz sądowy uznał, że zgon nastąpił właśnie z przyczyn naturalnych. Wyobraź sobie, że smażysz się w jednej z tych żelaznych skrzynek, aż ciało odmawia posłuszeństwa, wyżęte, wyciśnięte jak cytryna. Grypa, gruźlica, zapalenie płuc zbierały żniwo, podobnie jak wypadki w rodzaju utonięcia czy upadku z dużej wysokości. W pożarze w 1921 roku śmierć poniosło dwudziestu trzech osadzonych. Połowa wyjść z internatów była zamknięta na cztery spusty, a dwaj chłopcy umieszczeni w celach na drugim piętrze nie mieli żadnej szansy ucieczki.

Zwłoki chowano w ziemi na terenie Boot Hill albo wydawano rodzinie. Niektóre przypadki były bardziej skandaliczne od innych. Wystarczy zajrzeć do szkolnych archiwów, choć są niekompletne. Uraz w wyniku uderzenia tępym narzędziem, postrzał z broni palnej. W pierwszej połowie dwudziestego wieku znajdowano niekiedy trupy chłopców, którzy byli wypożyczani miejscowym rodzinom. Wychowanków zabijano też podczas „nieupoważnionego pobytu poza obrębem szkoły". Dwóch chłopców przejechały ciężarówki. Trzech zgonów nigdy nie wyjaśniono. Archeolodzy z Uniwersytetu Południowej Florydy zauważyli, że śmiertelność wśród tych, którzy wielokrotnie próbowali zbiec z Miedziaka, była wyższa niż wśród tych, którzy nie mieli takich zapędów. Pozostawało snuć domysły. Nieoznakowane groby dochowywały tajemnicy.

Wreszcie czwarty: można było uciec. Zaryzykować i wyrwać się na wolność.

Niektórzy chłopcy zniknęli wchłonięci przez dyskretną przyszłość, pod innymi nazwiskami, w innych miejscach. Żyjąc w cieniu. Już do grobowej deski w lęku, że Miedziak wpadnie na ich trop. Najczęściej jednak zbiegów łapano, po czym zabierano ich na zwiedzanie Wytwórni Lodów i wrzucano do ciemnicy na kilka tygodni, żeby zrewidowali swoją postawę. Ucieczka była szaleństwem, pozostawanie na miejscu było szaleństwem. Czy można sądzić, że chłopiec, który spoglądał poza teren szkoły i dostrzegał kawałek wolnego świata, nie pomyślał o czmychnięciu z zakładu? Żeby wreszcie, raz w życiu, być panem siebie. Odmówić sobie myśli o ucieczce, choćby przelotnego cienia takiej myśli, oznaczało zabić w sobie człowieczeństwo.

Słynnej ucieczki z Miedziaka dokonał niejaki Clayton Smith. Jego historię podawano z ust do ust przez długie lata. Wychowawcy i sekcyjni zadbali o to, żeby nie popadła w zapomnienie.

Był rok 1952. Clayton nie wydawał się dobrym materiałem na uciekiniera. Nie był bystry ani odważny, rogaty ani charakterny. Po prostu zabrakło mu sił, żeby dłużej to znosić. Dostał w kość wielokrotnie wcześniej, ale pobyt w Miedziaku pogłębił i wyostrzył doznawane okrucieństwa, otwierając mu oczy na najbardziej złowrogie upodobania. Skoro tyle wycierpiał przez pierwsze piętnaście lat swojego życia, to co go czekało w przyszłości?

Mężczyzn w rodzinie Claytona charakteryzowało wyraźne fizyczne podobieństwo. Ludzie z sąsiedztwa rozpoznawali ich na pierwszy rzut oka po jastrzębim profilu, jasnobrązowych oczach, gwałtownych ruchach rąk i ust, gdy gadali. To pokrewieństwo istniało pod skórą. Smithowie żyli krótko i mieli pecha. Okazało się, że Clayton nie jest wyjątkiem pod tym względem.

Jego ojciec dostał zawału serca, gdy chłopiec miał cztery lata. Palce dłoni zaciśnięte na kołdrze, usta szeroko otwarte, oczy też. W wieku dziesięciu lat Clayton rzucił szkołę, żeby pracować w gajach pomarańczowych, idąc w ślady swoich trzech braci i dwóch sióstr. Najmłodszy musiał pomagać rodzinie. Po zapaleniu płuc matka trwale zapadła na zdrowiu i władze stanu przejęły opiekę nad chłopcem. Dzieci rozdzielono. W Tampie Miedziak wciąż nazywano Florydzką Szkołą Przemysłową dla Chłopców. Słynął z prostowania charakteru młodych ludzi, bez względu na to, czy byli czarnymi owcami w rodzinie, czy rodziny w ogóle nie mieli. Starsze siostry pisały do Claytona listy, które czytali mu inni uczniowie. Bracia trafiali to tu, to tam, niesieni nurtem życia.

Clayton nigdy nie nauczył się bić, bo miał starszych braci, którzy w razie czego brali go w obronę. Dlatego w Miedziaku słabo sobie radził w potyczkach. Dobrze, na równi z innymi, czuł się tylko wtedy, gdy pracował w kuchni, obierając ziemniaki. Miał tam spokój, więc obmyślił plan. Wychowawcą w internacie Roosevelta był wtedy facet, który nazywał się Freddie Rich, a jego dorobek zawodowy stanowiła masa unieszczęśliwionych dzieci w różnych domach opieki. Ośrodek imienia G. Giddinsa, Szkoła dla Młodych Mężczyzn w Gardenville, Sierociniec Świętego Wincentego w Clearwater. No i w końcu Miedziak. Freddie wybierał kandydatów na podstawie ich chodu i postawy. W wyborze upewniały go teczki osobowe przechowywane w administracji, a ostatecznym potwierdzeniem było to, jak chłopak jest traktowany przez innych uczniów. Młodego Claytona wypatrzył bardzo szybko, palcami wymacywał dwa kręgi w jego plecach, co znaczyło: teraz.

Kwatera Freddiego Richa znajdowała się na drugim piętrze internatu Roosevelta, ale zgodnie z tradycją Miedziaka wolał on zabierać ofiarę do piwnicy białego budynku szkolnego. Po ostatniej wizycie w Zaułku Kochanków Clayton miał dość. Dwaj wychowawcy, którzy zobaczyli go w nocy powracającego bez nadzoru do internatu, nie zainterweniowali, bo przywykli do takiego widoku. W ten sposób zyskał przewagę.

Plan Claytona obejmował jego siostrę Bell, która wylądowała w domu dla dziewcząt na przedmieściach Gainesville. W odróżnieniu od reszty rodzeństwa miała dobre warunki bytowe. Ludzie, którzy prowadzili ten dom, okazywali podopiecznym serce i byli postępowi, gdy chodziło o kwestie rasowe. Koniec z papką kukurydzianą i wystrzępionymi sukienkami. Wróciła do szkoły i pracowała w weekendy, razem z innymi dziewczętami cerując i łatając. Gdy podrosła, napisała do Claytona, że przyjedzie po niego i znów będą razem. Bell ubierała go i kąpała, kiedy był mały, i wszystkie jego wyobrażenia o bezpieczeństwie sięgały tych wczesnych, ledwo pamiętanych dni. Kiedy uciekł tamtej nocy, dotarł na skraj bagien, a wtedy zdrowy rozsądek podpowiedział mu, żeby wejść do ciemnej wody, jednak chłopak nie mógł się na to zdobyć. Groza, widma, mrok, zwierzęca symfonia seksualności i przemocy. Clayton zawsze bał się ciemności i tylko Bell znała piosenki, które potrafiły go ukoić, gdy tulił głowę do jej kolan i nawijał sobie na palec jej warkoczyki. Ruszył więc na wschód, na granicę plantacji limonek, i dotarł do Jordan Road.

Od świtu do popołudnia przedzierał się przez las wzdłuż drogi. Ilekroć słyszał, że nadjeżdża samochód, chował się głębiej w zaroślach i poszyciu leśnym. Gdy nie mógł już zrobić ani kroku dalej, ukrył się pod samotnym szarym domem, skulony w cuchnącej wodzie pod podłogą na palach. Robactwo urządziło sobie z niego ucztę; obmacywał delikatnie guzki, żeby złagodzić swędzenie, nie rozdrapując pokąsanej skóry. Wreszcie rodzina wróciła do domu: ojciec, matka i nastoletnia dziewczyna, których widział tylko od stóp do kolan. Usłyszał, że dziewczyna jest w ciąży, a to wywołało burzę. Zresztą może w tym domu zawsze było burzliwie, zawsze utrzymywała się ta sama pogoda? Gdy w końcu przestali się kłócić i zasnęli, Clayton wypełzł z kryjówki.

Pobocze drogi było ponure, przerażające. Nie miał pojęcia, dokąd wędruje, nie martwił się tym jednak, dopóki nie usłyszał ujadania psów tropiących. Jak się potem okazało, ogary gończe zostały wysłane gdzie indziej, do tropienia trzech więźniów zbiegłych z zakładu karnego Piedmont, a Freddie Rich zgłosił zaginięcie chłopaka dopiero po dwudziestu czterech godzinach, przerażony jak szczur w pułapce, że jego ciągoty wyjdą na jaw. Został zwolniony z poprzedniej pracy i lubił smaczne kąski w nowej robocie.

Clayton rzadko był sam. W Tampie zawsze otaczali go bracia i siostry, wszyscy stłoczeni w trzech pokojach nędznej „śrutówki" stojącej w ślepym zaułku. Potem był Miedziak z zasadą zbiorowych upokorzeń. Chłopiec nie przywykł więc spędzać tak wiele czasu w towarzystwie swoich myśli, grzechoczących mu w głowie jak kości do gry. W planach nie wybiegał dalej niż do odnalezienia siostry. Trzeciego dnia wydumał, co zrobi potem – przepracuje kilka lat jako kucharz i odłoży forsę na własną restaurację.

Zaraz po tym, gdy zatrudnili go przy zbiorach pomarańczy, obok rozjechanej okręgowej drogi otworzyła się knajpa dla zmotoryzowanych. Wieziony do gajów wyglądał przez deszczułki ciężarówki, czekając na eksplozje bieli, czerwieni i błękitu na frontonie restauracji pod stalową markizą. Wywieszono reklamy, a przy szosie wyrosły znaki zaostrzające apetyt, no i w końcu otwarto podwoje: U Cheta. Młodzi biali kelnerzy i kelnerki, w eleganckich ogrodniczkach w biało-zielone paski, z uśmiechem serwowali burgery i shaki klienteli w autach. Zgrabne ogrodniczki były symbolem cnót obywatelskich – pracowitości i samodzielności. Te bajeranckie fury i ręce wystawiane z okien, żeby odebrać zamówienie. Inspirujące.

Clayton nigdy nie jadł w restauracji, więc przeceniał wspaniałość nowo otwartego przybytku. Być może to własny głód był pożywką dla idei posiadania jadłodajni. Gdy chłopak uciekał, wizja prowadzenia knajpy – chodzenie między klientami, pytanie, czy im smakuje, sprawdzanie na zapleczu codziennych rachunków, jak to widział w filmach – wiernie dotrzymywała mu kroku.

Czwartego dnia był już tak daleko od Miedziaka, że postanowił złapać autostop. Jego drelichowe spodnie i koszula z przydziału rzucały się w oczy. Podwędził więc robocze ubranie, schnące na sznurku przed dużym białym wiejskim domem, jak tylko zobaczył, że odjeżdża stamtąd poobijany pick-up. Przyczaił się, a gdy uznał, że jest bezpiecznie, capnął kombinezon i koszulę. Stara kobieta siedząca na piętrze dostrzegła go, jak wyskoczył z lasu i chwycił ubranie. Dawniej należało do jej zmarłego męża, teraz odziedziczył je wnuk. Ucieszyła się ze straty, ponieważ bolało ją, kiedy widziała, że te rzeczy nosi ktoś inny, zwłaszcza jej wnuk, który bluźnił i okrutnie traktował zwierzęta.

Clayton miał w nosie, dokąd będzie jechał zatrzymany samochód, byle przez kilka godzin pokonać jak największą odległość. Doskwierał mu głód. Nigdy dotąd nie obywał się tak długo bez jedzenia i nie wiedział, jak temu zaradzić, ale najważniejsze były kolejne zaliczane kilometry. Pojawiało się niewiele samochodów, a widok każdej białej twarzy napędzał chłopcu stracha, mimo że odważył się wyjść na szosę. Żadnych czarnych kierowców. Może w tej części stanu Murzyni nie mają aut? W końcu zmusił się, by wystawić rękę, gdy zza zakrętu wyłonił się biały packard z granatowymi wykończeniami. Nie dostrzegł twarzy kierowcy, ale lubił packardy, bo były pierwszymi samochodami, które nauczył się rozpoznawać.

Kierowcą okazał się biały mężczyzna w średnim wieku, w kremowym garniturze. Pewnie, że biały, a jaki miał być? Jasne włosy, z przedziałkiem pośrodku, były na skroniach

poznaczone plamami siwizny. W zależności od kąta pada-
nia promieni słonecznych jego oczy za okularami w drucianych oprawkach zmieniały kolor z niebieskiego na per-
łowobiały.

Mężczyzna przyjrzał się uważnie Claytonowi. Skinął
na niego, by wsiadł.

– Dokąd to, chłopaku?

– Do Richards – odparł Clayton, bo akurat to przyszło
mu do głowy.

Tak nazywała się ulica, przy której się wychował.

– Nie wiem, gdzie to jest – rzekł kierowca. – Zabiorę
cię tam, gdzie jadę. – Wymienił miasto, o którym chłopiec
w życiu nie słyszał.

Clayton nigdy dotąd nie siedział w packardzie. Potarł
dłonią tapicerkę obok swojego prawego uda, tak żeby
mężczyzna tego nie dostrzegł. Była pomarszczona i mięk-
ka. Wyobraził sobie labirynt tłoków i zaworów pod maską
i pomyślał, że fajnie byłoby zobaczyć, jak robotnicy w fabryce składają to w całość.

– Tam mieszkasz? – spytał mężczyzna. – W Richards? –
Sprawiał wrażenie wykształconego człowieka.

– Tak, proszę pana. Z rodzicami.

– Rozumiem. A jak masz na imię?

– Harry.

– A ja jestem Simmons – przedstawił się kierowca i skinął głową, jakby połączyło ich obustronne rozumienie.

Jechali przez pewien czas. Clayton odzywał się tylko wtedy, gdy był zagadywany, i zaciskał usta, żeby nie wypsnęło mu się coś głupiego. Teraz, kiedy to nie jego dwie głupie nogi przenosiły go z miejsca na miejsce, zrobił się niespokojny i wciąż szukał wzrokiem radiowozów. Zganił się w myśli za to, że nie pozostał w ukryciu trochę dłużej. Wyobraził sobie grupę pościgową prowadzoną przez Freddiego Richa, trzymającego latarkę; słońce odbijało się od wielkiej klamry w kształcie bizona przy pasie, którą Clayton poznał aż za dobrze – jej widok i grzechot na betonowej podłodze. Domy stały coraz bliżej siebie, packard płynnie pokonał główną ulicę jakiegoś miasteczka. Chłopak wcisnął się głębiej w fotel, starając się nie zwracać na siebie uwagi białego mężczyzny. Potem znów jechali spokojną szosą.

– Ile masz lat? – spytał pan Simmons.

Właśnie minęli zamkniętą stację benzynową Esso, z zardzewiałymi dystrybutorami, sterczącymi samotnie jak strachy na wróble, i biały kościół z małym cmentarzem. Ziemia się zapadła, nagrobki przekrzywiły i cały cmentarz wyglądał jak jama ustna ze spróchniałymi zębami.

– Piętnaście – odparł Clayton.

Uświadomił sobie, kogo przypomina mu ten mężczyzna – pana Lewisa, właściciela ich dawnego domu. Albo zapłacisz mu czynsz pierwszego dnia miesiąca, albo drugiego lądujesz na ulicy. Claytonowi zaczęło się zbierać na

mdłości. Zacisnął pięść. Wiedział, co zrobi, jeśli facet poło-
ży mu rękę na udzie albo spróbuje dotknąć jego siusiaka.
Poprzysięgał sobie sto razy, że wyrżnie Freddiego Richa
w mordę, ale potem stał sparaliżowany, gdy nadchodzi-
ła ta chwila, teraz poczuł jednak, że potrafi zdobyć się na
opór. Czerpał siłę z wolnego świata.

– Chodzisz do szkoły, chłopaku?

– Tak, proszę pana.

Był wtorek, na pewno. Clayton policzył do tyłu. Freddie Rich lubił go brać w sobotnie wieczory. „Tańsi niż najtańsze fordanserki, a dostajesz od nich więcej za swoje
pieniądze".

– Wykształcenie to ważna rzecz – powiedział pan Simmons. – Otwiera drzwi. Zwłaszcza wam.

Niezręczna chwila minęła. Clayton rozczapierzył palce
na tapicerce, jakby chciał chwycić piłkę.

Ile dni potrzebuje, żeby dotrzeć do Gainesville? Pamiętał, że Bell mieszka w domu pani Mary, ale będzie musiał
się rozpytać. Co to za miasto? W jego planie wciąż było
sporo niejasności, musiał najpierw pokombinować, zanim
się urządzi. Bell wymyśli sekretne sygnały i miejsca spotkań, które zna tylko ona. Pod tym względem była bystra.
Minie dużo czasu, zanim siostra znowu wieczorem go
otuli i powie mu to wszystko, co go uspokaja, ale trudno,
on zaczeka, wytrzyma, jeśli ona będzie blisko. „Już cicho,
braciszku…"

O tym właśnie myślał, gdy packard przejechał obok kamiennych filarów u wlotu drogi dojazdowej do Miedziaka. Pan Simmons ustąpił niedawno ze stanowiska burmistrza Eleanor, pozostał natomiast członkiem zarządu poprawczaka i miał aktualne informacje o życiu szkoły. Trzej biali wychowankowie idący do warsztatu zobaczyli, jak Clayton wysiada z samochodu, lecz nie mieli pojęcia, że to on jest uciekinierem, a o północy wentylator wyryczał nowinę do uszu na wpół śpiących uczniów, nie zdradził jednak, kto dostaje lody, a w tamtych czasach chłopcy nie wiedzieli, że samochody zmierzające w środku nocy na szkolne wysypisko oznaczają, że tajny cmentarz przygarnął nowego mieszkańca. To Freddie Rich rozpowszechnił historię Claytona wśród uczniowskiej społeczności, bo opowiedział ją swojemu najświeższemu wybrankowi jako lekcję poglądową.

Można było spróbować i mieć nadzieję, że ucieczka się powiedzie. Niektórym się udawało. Większości – nie.

Elwood uważał, że jest piąty sposób wydostania się z Miedziaka. Obmyślił go, gdy babcia przyjechała na widzenie. Było lutowe ciepłe popołudnie i rodziny gromadziły się przy stołach piknikowych ustawionych przed stołówką. Niektórzy chłopcy byli tutejsi, toteż ich rodzice zjawiali się co tydzień z torbami pełnymi jedzenia i nowych skarpetek oraz nowinami z życia lokalnej społeczności. Ale inni pochodzili ze wszystkich zakątków Florydy, od Pensacoli na północy po Key West na południu, więc większość rodziców musiała odbywać długą podróż, żeby zobaczyć swoich krnąbrnych synów. Niekończąca się jazda w dusznym autokarze, ciepły sok i okruchy kanapki sypiące się z pergaminu na kolana. Codzienna praca utrudniała wyjazdy, odległość uniemożliwiała wizyty, a niektórzy uczniowie wiedzieli, że ich krewni po prostu umyli ręce. W dniu widzeń, po dyżurze, sekcyjni informowali podopiecznych, kto się zjawi na wzgórzu, a jeśli nikt z rodziny nie przyjeżdżał, chłopcy – żeby zająć czymś myśli – grali na boisku, pływali w basenie albo pracowali w warsztacie stolarskim, biali przed południem, czarni po południu, odwracając oczy od rodzinnych spotkań na wzgórzu.

Harriet przyjeżdżała do Eleanor dwa razy w miesiącu, jednak ostatnią wizytę opuściła z powodu choroby. Przysłała wnukowi list z wyjaśnieniem, że jest przeziębiona, i dołączyła kilka artykułów prasowych, które według niej mogły go zainteresować: relacja z wystąpienia Martina Luthera Kinga w Newark w stanie New Jersey i duża kolorowa rozkładówka o wyścigu kosmicznym. Gdy teraz szła w jego stronę, wyglądała o wiele starzej. Choroba nadwątliła jej i tak drobną postać pod zieloną sukienką. Gdy dostrzegła Elwooda, przystanęła i zaczekała, aby podszedł i ją objął. Zyskała chwilę wytchnienia, dzięki czemu mogła pokonać kilka ostatnich metrów do stołu, który wnuk przygotował na ich spotkanie.

Elwood trzymał ją w ramionach dłużej niż zwykle, wciskając nos w jej ramię. A potem przypomniał sobie o chłopakach i cofnął się. Od dawna czekał na jej kolejną wizytę, i to nie tylko dlatego, że podczas poprzedniej obiecała przywieźć następnym razem dobre nowiny z Tallahassee.

Jego życie w Miedziaku przybrało formę osowiałego posłuszeństwa. Okres po Nowym Roku niczym się nie wyróżniał. Było kilka kursów do stałych klientów w Eleanor i Elwood wiedział już, czego się spodziewać na każdym postoju, nawet nieraz przypominał Harperowi, że w tę środę to ma być Top Shop i zlecenie w restauracji, jakby wciąż pracował w trafice pana Marconiego. W internatach panował większy spokój niż jesienią. Bójki i awantury zdarzały się rzadko, a Biały Dom świecił pustką. Gdy stało się jasne, że Earl nie kopnął w kalendarz, Elwood, Turner i Desmond wybaczyli Jaimiemu. Prawie każdego popołudnia grali w monopol, a ich rozgrywki były konspiracyjnym zlepkiem zasad, tajemniczych przymierzy i zemsty. Guziki zastępowały zgubione żetony.

Im bardziej rutynowe stawały się dni Elwooda, tym bardziej żywiołowe były jego noce. Budził się po dwunastej, gdy w internacie panowała martwa cisza, wyrwany ze snu przez wyimaginowane dźwięki – kroki w progu, skrobanie skórzanego pasa o sufit. Mrużył oczy w ciemności – nic. Potem czuwał przez wiele godzin, strwożony płochymi myślami, podupadły na duchu. To nie Spencer go złamał, nie żaden wychowawca ani nowy rozrabiaka pochrapujący w sali numer 2 – chodziło raczej o to, że sam skapitulował. Kładąc potulnie uszy po sobie, zachowując ostrożność, żeby bez żadnej afery dotrwać do pory zgaszenia świateł, okłamywał sam siebie, że triumfuje. Że przechytrzył Miedziaka, bo radzi sobie i wystrzega się kłopotów. Tak naprawdę jednak został pokonany. Był jednym z tych Murzynów, o których mówił doktor King w swoim liście z więzienia: tak bardzo zadowolonych i uśpionych po latach ucisku, że dostosowali się i nauczyli spać w tych warunkach jak we własnym łóżku.

W chwilach mniejszej wyrozumiałości zaliczał do tej kategorii babcię Harriet. Teraz idealnie pasowała do tego obrazu, okrojona jak on. Porywisty wiatr się wyszumiał.

– Możemy się tu z wami ścisnąć?

Do stołu chciał się przysiąść Burt, też chłopak z Cleveland, jeden z karolków. Jego matka podziękowała z uśmiechem. Była młoda, miała może dwadzieścia pięć lat, o okrągłej szczerej twarzy. Umęczona, a jednak pełna wdzięku, gdy trzymała na kolanach maleńką siostrzyczkę Burta, pohukującą do owadów. Gaworzenie i zabawa rozkojarzyły Elwooda, słuchającego babci. Głośni i szczęśliwi – w porównaniu z nimi Elwood i Harriet byli cisi jak podczas nabożeństwa w kościele. Burt miał rogatą duszę, ale dobre serce – z tego, co Elwood zdążył się zorientować. Nie znał zbyt dobrze tego karolka ani jego problemów, ale może chłopak się ogarnie i wyprostuje swoje ścieżki, gdy stąd wyjdzie. Matka czekała na niego na wolce, a to nie byle co. Więcej, niż miała większość chłopaków.

Być może babci zabraknie, gdy Elwood w końcu wyjdzie. Nigdy wcześniej o tym nie pomyślał. Rzadko chorowała, a jeśli już, i tak nie chciała się położyć do łóżka. Była twarda, jednak życie podgryzało ją kawałek po kawałku. Mąż umarł młodo, córka przepadła na zachodzie Ameryki, a teraz jej jedyny wnuk został skazany na pobyt w tym miejscu. Przełykała potulnie dawki niedoli, które życie jej aplikowało, a teraz co? Została sama przy Brevard Street, bo bliscy zniknęli jeden po drugim. Być może jej zabraknie.

Elwood domyślał się, że Harriet przywiozła złe nowiny, bo nadzwyczaj długo zwlekała z opowiedzeniem, co się dzieje w ich części Frenchtown. Córka Clarice Jenkins dostała się do Spelman College. Tyrone James palił w łóżku, zaprószył ogień i cały dom poszedł z dymem. Przy Macomb otworzyli nowy sklep z kapeluszami. Rzuciła mu nawet smakowitą kość:

– Lyndon Johnson ciągnie ten projekt ustawy o prawach obywatelskich prezydenta Kennedy'ego. Przedłożył to w Kongresie. A skoro ten zacny chłopina postępuje jak trzeba, to wiadomo, że wszystko się zmieni. Będzie zupełnie inaczej, jak wrócisz, Elwood.

– Masz brudny kciuk – powiedział Burt do siostry. – Wyjmij go z buzi, weź sobie mój. – Wystawił rękę, a mała skrzywiła się i zachichotała.

Elwood sięgnął nad stołem i chwycił dłonie babci. Nigdy wcześniej nie dotykał jej w ten sposób – jakby dodawał otuchy dziecku.

– No mów, co się dzieje.

W dniu widzeń prędzej czy później większość gości płakała – na widok zakrętu na ostatnim odcinku drogi do Miedziaka, przy pożegnaniu, odwracając się plecami do synów. Matka Burta podała Harriet chusteczkę. Stara kobieta spojrzała w bok, żeby otrzeć łzy.

Dłonie jej drżały, więc Elwood próbował ją uspokoić.

Adwokat zniknął, powiedziała w końcu. Pan Adrews, ten miły, uprzejmy biały prawnik, który z takim optymizmem patrzył na apelację Elwooda, zwinął manatki i bez słowa wyjechał do Atlanty. Zabierając ze sobą dwieście dolarów, które od nich otrzymał. Po spotkaniu z nim pan Marconi dorzucił kolejne sto, co było nietypowe, owszem, ale pan Andrews był uparty i przekonujący. Mieli podobno do czynienia z klasyczną pomyłką sądową. Gdy Harriet pojechała autobusem do śródmieścia, żeby zobaczyć się z adwokatem, okazało się, że kancelaria jest pusta. Zarządca budynku akurat pokazywał lokal potencjalnemu nowemu najemcy, dentyście. Popatrzyli na nią jak na ostatniego śmiecia.

– Zawiodłam cię, El.

– Nic złego się nie dzieje. Właśnie zrobili mnie tropi-
cielem.

Nie stawiał się i został za to nagrodzony. Postępował
tak, jak chcieli.

Były cztery sposoby, żeby się stąd wyrwać. W katuszach
następnej bezsennej nocy Elwood doszedł do wniosku, że
jest piąty sposób.

Pozbyć się Miedziaka.

# Rozdział trzynasty

- - - - - - - - -

Nigdy nie opuścił żadnego maratonu. Nie obchodzili go zwycięzcy, ludzie w typie Supermana, walczący o rekordy światowe, dudniący stopami po nowojorskim asfalcie na mostach i nadzwyczaj szerokich bulwarach. Podążały za nimi w samochodach ekipy telewizyjne, robiąc zbliżenie każdej kropli potu i żyły nabrzmiałej w szyi, plus biali gliniarze na motocyklach, żeby żaden świr nie wyskoczył z boku na trasę i nie zakłócił biegu. Mistrzowie dostawali wystarczająco dużo oklasków, nie potrzebowali jego aplauzu. W zeszłym roku wygrał ten czarny brat z Afryki; facet był z Kenii. W tym roku biały z Wielkiej Brytanii. Mimo różnego koloru skóry zbudowani byli tak samo – wystarczy spojrzeć na te nogi i od razu wiadomo, że o gościu będą pisać w gazetach. Zawodowcy trenujący przez okrągły rok, latający po całym świecie na zawody. Zwycięzcom łatwo kibicować.

Nie, on lubił tych, którzy słaniali się jak pijani, powłócząc nogami na trzydziestym ósmym kilometrze, język wywieszony jak u labradora. Przetaczali się przez metę, stopy skatowane w nike'ach jak steki pod tłuczkiem do mięsa. Maruderzy i niemrawcy, którzy pokonywali nie trasę maratonu, lecz własny charakter – sięgali w głąb siebie, żeby wyłonić się na światło dzienne z tym, co znaleźli. Gdy docierali w końcu do Columbus Circle, ekipy telewizyjne już się rozjeżdżały, stożkowe kubki po wodzie i gatorade pstrzyły ulicę jak stokrotki łąkę, a srebrne koce termiczne falowały na wietrze. Może ktoś na nich tam czekał, a może nie? Kto by nie miał poczucia triumfu?

Zwycięzcy biegli samotnie z przodu, nieco dalej trasę wypełniała główna grupa, stłoczeni razem przeciętniacy. On przychodził, żeby oglądać tych na szarym końcu oraz tłumy na chodnikach i rogach ulic, nowojorczyków, tak dziwnych i cudownych zarazem, że przyciągali go z tego mieszkania na przedmieściach siłą, którą nazywał pokrewieństwem. Każdego listopada maraton osłabiał jego sceptycyzm wobec ludzi, ukazując, że mieszkają wszyscy razem w tym brudnym mieście, nieprawdopodobne swojaki.

Widzowie stawali na palcach, ocierając się brzuchami o niebieskie drewniane barierki policyjne, wydobywane z magazynów w czasie wyścigów, rozruchów i wizyt prezydentów, przepychając się w walce o lepszy widok, dzieci i dziewczyny na barana u ojców i ukochanych chłopaków. W hałasie, wśród syren, gwizdów i karaibskiej muzyki dudniącej z „jamników" z czarnych gett. „Biegnij!" „Dasz radę!" A potem: „Udało ci się!". W zależności od wiatru pachniało hot dogami ze stoisk albo potem spod owłosionych pach babeczki stojącej obok. I pomyśleć o tych wszystkich nocach w Miedziaku, kiedy jedynymi odgłosami były łzy i owady; jak udawało się zasnąć w sali zapchanej sześćdziesięcioma chłopcami, a mimo to ze świadomością, że jest się jedynym człowiekiem na ziemi? Dokoła pełno ludzi i zarazem nikogo. A tutaj wielkie tłumy i jakimś cudem nie chciało się skręcić nikomu karku, tylko pragnęło się wszystkich przytulić. Całe miasto, biedaki i typy z Park Avenue, czarni i biali, Portorykańczycy na krawężnikach, trzymający transparenty i flagi państwowe, wiwatujący na cześć ludzi, którzy wczoraj byli ich wrogami, bo stali przed nimi w kolejce do kasy, zajęli ostatnie wolne miejsce w metrze, tarasowali chodnik jak jakiś pieprzony mors. Konkurenci w walce o mieszkanie, szkołę, haust powietrza – wszystkie te z trudem wywalczone i hołubione podziały pryskały na kilka godzin, gdy wspólnie świętowano rytuał cudzej wytrzymałości i cierpienia. „Dasz radę".

Nazajutrz mieli wrócić na linię frontu, ale tego popołudnia rozejm trwał aż do momentu, gdy zabrzmiał ostatni wiwat na cześć ostatniego długodystansowca.

Słońce zaszło. Listopad postanowił przypomnieć wszystkim, że żyją pod jego panowaniem – rozkazał wiatrowi dąć. Elwood wyszedł z parku przy Sześćdziesiątej Szóstej, śmignął między dwoma gliniarzami na koniach, odbity w ich okularach przeciwsłonecznych czarnym błyskiem. Przy Central Park West tłumy kibiców już się przerzedziły.

– Ej, facet! Zaczekaj chwilę!

Jak wielu nowojorczyków miał wbudowany system ostrzegający przed kokainistami. Odwrócił się najeżony.

Mężczyzna się uśmiechnął.

– Ej, przecież my się znamy! Chickie! Chickie Pete!

Owszem, to faktycznie był Chickie Pete z Cleveland, teraz już mężczyzna.

Nie spotykał dużo ludzi z dawnych czasów. To jedna z zalet osiedlenia się na północy. Pewnego razu widział Maxwella na zawodach wrestlingu w Garden – Jimmy „Superfly" Snucka w stalowej klatce frunął w powietrzu jak gigantyczny nietoperz. Maxwell stał w kolejce do bufetu, na tyle blisko, że widać było ponaddziesięciocentymetrową bliznę, która z czoła spływała mu nad oczodołem i wbijała się w szczękę. Potem któregoś dnia wydawało mu się, że przed supermarketem Gristedes dostrzega Ptaśka – facet miał takie same złote kędziory – ale ten omiótł go wzrokiem jak obcego. Jakby przebywał tam pod przykrywką, na fałszywych papierach przekraczał granicę.

– Siemasz, człowieku, jak ci leci? – Dawny kumpel z Miedziaka miał na sobie zieloną bluzę Jetsów i czerwone spodnie od dresu, o numer za duże, pożyczone.

– Cześć, Chickie. Jakoś sobie radzę. Nieźle wyglądasz.

Okazało się, że wcześniej właściwie wyczuł energię: Chickie nie ćpał kokainy, ale najwyraźniej wycierał się trochę po dzielnicach, bo miał w sobie tę wylewność, która cechuję narkomanów po wyjściu z pierdla albo odwyku. Już przybił piątkę, już klepał go po ramieniu, gadał za głośno w przejawie przesadnej serdeczności. Elwood się wzdrygnął.

– Gdzie idziesz?

Chickie Pete zaproponował piwo, stawiam, powiedział, nie chciał słyszeć żadnych wymówek. Być może po maratonie należało okazać trochę ciepła bliźniemu? Nawet jeśli ten bliźni przybywał z dawnych mrocznych lat.

Znał ten lokal z czasów, kiedy mieszkał przy Osiemdziesiątej Drugiej Ulicy, zanim się wyprowadził z centrum. Gdy przyjechał do miasta, Columbus była senną ulicą, wszystko zamykano najpóźniej o ósmej, ale potem przy alei pootwierały się osiedlowe knajpy, bary dla samotnych i restauracje, w których trzeba było rezerwować stolik. Jak wszędzie indziej w całym mieście: kaszana, a potem nagle pstryk i szał. Lokal Chippa był przyzwoitą knajpą – barmani serwowali ulubione porządne burgery, gadka, jeśli

217

klient miał ochotę, skinienie głowy, jeśli nie miał. Pamiętał tylko jeden raz, gdy zrobiło się rasistowsko: ten pyskacz w czapce Red Soxów zaczął „czarnuch to", „czarnuch tamto" i został wykopany w try miga.

Chłopaki z Horizonu lubili tam zaglądać w poniedziałki i czwartki, kiedy zmianę miała Annie, a to z powodu jej biustu i stawiania klientowi co czwartej kolejki, hojnym darem jedno i drugie. Gdy rozkręcił firmę, czasem zabierał tam swoich pracowników, ale potem przestał, bo zorientował się, że jak pije z podwładnymi, mogą sobie za dużo pozwalać. Spóźnią się do roboty albo nie przyjdą w ogóle i zaczną się głupio tłumaczyć. Zrobią się niechlujni, będą łazić w pogniecionych kombinezonach. Zapłacił sporo pieniędzy za te kombinezony. Sam zaprojektował logo.

Puszczano mecz, nie za głośno. Usiedli we dwóch przy barze, a barman postawił kufle na podkładkach reklamujących Smiles, ten bajerancki lokal dla samotnych, który działał dawniej kilka przecznic stąd. Barman był nowy; biały facet. Rudzielec o wsioskich manierach. Widać było, że lubi wyciskać sztangi – rękawki T-shirtu miał opięte na bicepsach jak recepturki. Taki małpolud, co się go bierze do roboty w sobotni wieczór, bo będą tłumy.

Chociaż Chickie powiedział, że stawia, Elwood położył na kontuarze dwadzieścia dolarów.

– Grałeś na trąbce – rzucił.

Chickie był członkiem czarnego zespołu i jeśli pamięć Elwooda nie zawodziła, wywołał sensację w noworocznych pokazach młodych talentów jazzową wersją *Greensleeves*, wariacją zahaczającą o bebop.

Tamten uśmiechnął się na wspomnienie swojego talentu.

– Stare dzieje – odparł. – Ręce już nie te.

Wyprostował dwa palce, które zadrżały jak odnóża kraba. Wyznał, że od trzydziestu dni jest na odwyku.

Wskazanie, że właśnie usiedli w barze, byłoby nieeleganckie.

Chickie zawsze dochodził do ładu ze swoimi słabościami. Gdy wylądował w Miedziaku, był piskliwym niedorostkiem, którego regularnie cwelowano w pierwszym roku, aż w końcu nauczył się bić i potem wykorzystywał mniejszych chłopców, zabierając ich do komórek i magazynków. Dajesz to, co dostałeś.

No i trąbka, tyle zapamiętał o dawnym koledze z Miedziaka, ale Chickie zaczął opowiadać o swoim życiu po wyjściu. Była to oklepana historia, słyszał ją wiele razy w ciągu ostatnich lat – nie od miedziaków, ale od ludzi, którzy odsiadywali wyroki w podobnych miejscach.

Chickiego pociągało wojo, tamtejszy porządek i dyscyplina.

– Wielu szło z poprawczaków od razu w kamasze – stwierdził. – To jakby naturalny wybór, zwłaszcza jak nie masz domu, do którego mógłbyś wrócić. Albo chciałbyś wrócić.

Służył dwanaście lat, ale potem przeżył załamanie i go wykopali. Parę żon zaliczonych po drodze. Imał się każdej roboty. Najlepszą było sprzedawanie zestawów stereofonicznych w Baltimore. Mógł bez końca gadać o hi-fi.

– Zawsze piłem – wyznał. – A potem im bardziej starałem się ogarnąć, tym bardziej się napierdalałem co wieczór.

Zeszłego maja pobił faceta w barze. Sędzia dał mu wybór: albo do pierdla, albo odwykówka. Był w Nowym Jorku, bo przyjechał do siostry, która mieszkała w Harlemie.

– Przygarnęła mnie, dopóki nie wykombinuję, co dalej ze sobą zrobić. W sumie zawsze mi się tu podobało. – A u ciebie co słychać? – spytał po chwili Chickie.

Elwood nie miał ochoty opowiadać mu o swojej firmie, więc liczbę furgonetek i pracowników zaniżył o połowę, i nie wspomniał o nowo otwartym biurze przy Lenox, z którego był bardzo dumny. Umowa najmu na dziesięć lat. To najdłuższy okres, do jakiego kiedykolwiek się zobowiązał w jakiejkolwiek sprawie, i dziwnie się czuł, bo jedyne, co go martwiło, to to, że nic go nie martwi.

– Brawo, stary! Pniesz się w górę. Pannę jakąś masz?

– Nikogo na stałe. Wychodzę na miasto, jak jest przestój w robocie.

– Kapuję, kapuję.

Światło wpadające z zewnątrz pociemniało, bo wyższe budynki zaczęły rzucać cień, powodując przedwczesny zmierzch. Był to znak, że czas na porcję niedzielnej chandry – Elwood nie był jedynym, którego dotykała, bo w barze się zaroiło. Muskularny barman najpierw obsłużył dwóch jasnowłosych studentów, prawdopodobnie niepełnoletnich, sprawdzających przestrzeganie przepisów antyalkoholowych na południe od swojego terenu Uniwersytetu Columbia. Chickie zamówił kolejne piwo, ubiegając Elwooda.

Zaczęli wspominać dawne dzieje i szybko przeszli do mrocznych spraw, do najgorszych wychowawców i sekcyjnych. Nie wymówili nazwiska Spencera, bo wsioch mógłby się przez to zmaterializować na Columbia Avenue jak widmo – dziecięcy strach przetrwał mimo upływu lat. Chickie wymienił miedziaków, na których się natknął w późniejszych latach: Sammy, Nelson, Lonnie. Jeden był złodziejem, drugi stracił rękę w Wietnamie, trzeciego życie zniszczyło. Żonglował imionami tych, o których Elwood w ogóle nie myślał przez cały ten czas, to było jak Ostatnia Wieczerza, dwunastu nieudaczników z Chickiem w środku. Właśnie to poprawczak robił z młodym człowiekiem. Historia nie kończyła się wtedy, gdy szło się na wolkę. Miedziak wypaczał wychowanków na wszystkie strony, aż byli tak pokręceni, że kiedy wychodzili, nie potrafili się naprostować i wieść normalnego życia.

A jego bilans? Jak bardzo był pokręcony?

– Ty wylazłeś w sześćdziesiątym czwartym? – spytał Chickie.

– Nie pamiętasz?

– A co?

– Nic. Swoje odsiedziałem – skłamał Elwood po raz enty, a robił to zawsze, ilekroć nie zachował czujności i wspomniał o Miedziaku. – No to mnie wypuścili. Ruszyłem do Atlanty, a potem dalej na północ. W Nowym Jorku siedzę od sześćdziesiątego ósmego. Będzie dwadzieścia lat.

Przez cały ten czas uznawał za pewnik, że jego ucieczka stała się legendą w Miedziaku. Że uczniowie opowiadają sobie jego historię, jakby był bohaterem z podań, postacią w rodzaju Staggera Lee, pomniejszoną do wzrostu nastolatka. Ale tak nie było. Chickie Pete nawet nie pamiętał, w jakich okolicznościach Elwood wyrwał się z zakładu. Jeśli chciał, żeby go zapamiętano, powinien wyskrobać swoje nazwisko na ławce, jak wszyscy. Zapalił kolejnego papierosa.

Chickie Pete zmrużył powieki.

– Ej, a co się stało z tym chłopakiem, z którym się kumplowałeś?

– Którym?

– No tym, tym. Próbuję sobie przypomnieć.

– Hm.

– Zaraz skojarzę – powiedział Chickie i skoczył do łazienki.

Po drodze rzucił słówko do grupki dziewczyn świętujących urodziny. Pośmiały się z niego, gdy zniknął w męskiej ubikacji.

Chickie Pete i jego trąbka. Może mógłby grać profesjonalnie, czemu nie? Być muzykiem sesyjnym w zespole wycinającym funky albo w orkiestrze. Gdyby życie inaczej się potoczyło. Wszyscy oni mogliby być innymi ludźmi, gdyby nie zniszczył ich Miedziak. Lekarzami, którzy leczą ludzi z chorób albo operują mózg, wynalazcami jakiegoś gówna ratującego życie. Kandydatami na prezydenta. Ci zmarnowani geniusze – jasne, nie wszyscy byli geniuszami, a Chickie Pete nie zajmował się teorią względności Einsteina – ale odmówiono im nawet przyjemności bycia zwykłymi chłopcami. Okaleczeni i kulawi, zanim wyścig się rozpoczął, nigdy nie mieli poznać, jak to jest być normalnym człowiekiem.

Odkąd był tu ostatni raz, położono nowe obrusy – winylowe w biało-czerwoną kratę. Dawniej Denise narzekała na klejące się blaty. Denise – spieprzył to dokumentnie. Dokoła zwykli ludzie wcinali hamburgery i pili piwo w radosnej atmosferze wolnego świata. Na ulicy przemknęła karetka, a w ciemnym lustrze za butelkami Elwood dostrzegł swoje odbicie, wyostrzone jaskrawoczerwoną migotliwą aurą, piętnującą go jako outsidera. Wszyscy to widzieli, tak samo jak on w lot pojmował historię Chickiego. Zawsze będą zbiegami, bez względu na to, w jaki sposób wydostali się z poprawczaka.

W jego życiu nikt nie zagrzał miejsca na dłużej.

Po powrocie z kibla Chickie Pete klepnął go w ramię. Elwood nagle zagotował się w środku na myśl o tym, że takie ćwoki jak Chickie ciągle chodzą po ziemi, a jego przyjaciel nie żyje. Wstał.

– Muszę spadać – rzucił.

– Jasne, jasne – powiedział Chickie z gorliwością człowieka, który nie ma nic do roboty. – Ja też. Wiesz co, nie chciałbym prosić…

Uwaga, zaczyna się.

– Ale gdybyś szukał kogoś do pracy, chętnie coś wezmę. Waletuję na sofie.

– Dobra.

– Masz wizytówkę?

Sięgnął do portfela po wizytówkę – „AS PRZEPROWADZKI. Elwood Curtis, właściciel" – ale się rozmyślił.

– A nie, przy sobie nie mam.

– Dałbym radę, zaręczam. – Chickie zapisał na czerwonej serwetce numer telefonu swojej siostry. – Dryndnij do mnie, wiesz, przez wzgląd na dawne czasy.

– Jasne.

Gdy Elwood się upewnił, że Chickie zniknął na dobre, ruszył na Broadway. Poczuł nietypową chęć, żeby złapać autobus numer 104, w górę Broadwayu. Wybrać malowniczą trasę, łyknąć życia tego miasta. Odpuścił sobie. Maraton się skończył, podobnie jak poczucie braterstwa. Na Brooklynie, w Queens, Bronxie i na Manhattanie samochody i ciężarówki odzyskały panowanie na zatkanych ulicach, a trasę maratonu zwijano kilometr za kilometrem. Niebieska farba na asfalcie wyznaczała drogę – co roku ścierała się, zanim człowiek zauważył. Wróciły białe plastikowe torebki fruwające po ulicach i przepełnione śmietniki, pod stopami chrzęściły opakowania z McDonalda i czerwone korki od fiolek koki. Złapał taksówkę i pomyślał o kolacji.

Zabawne, jak bardzo podobała mu się wizja, że legenda o jego Wielkiej Ucieczce krążyła w poprawczaku. Wkurzając kadrę, ilekroć chłopcy o tym wspominali. Uważał, że to miasto jest dobrym miejscem dla niego, bo tutaj nikt go nie znał – ponadto lubił ten paradoks: jedyne miejsce, w którym go znano, to właśnie to, w którym nie chciał być. Wiązało go to z innymi ludźmi, którzy przybywali do Nowego Jorku, uciekając od życia w rodzinnych miasteczkach albo od czegoś gorszego. Ale niestety, nawet w Miedziaku o nim zapomniano.

Wracając do pustego mieszkania, skreślił Chickiego za to, że okazał się patałachem.

Porwał serwetkę z numerem telefonu i wyrzucił strzępy przez okno. „Nikt nie lubi śmieciuchów", zabrzmiało mu w głowie – zasługa ofensywy reklamowej władz miasta, żeby poprawić jakość życia nowojorczyków. Udana kampania, sądząc po tym, jak to hasło się do niego przykleiło.

– No to dajcie mi mandat – powiedział.

# Rozdział czternasty

_____

Dyrektor Hardee zawiesił lekcje na dwa dni, żeby przygotować poprawczak na inspekcję władz stanowych. Miała to być niezapowiedziana kontrola, ale kumpel z bractwa studenckiego kierował wydziałem opieki nad młodocianymi w Tallahassee i uprzedził go telefonicznie. Mimo codziennej pracy uczniów konieczne było sporo kosmetycznych zabiegów. Spalone słońcem boisko do koszykówki wymagało nowej nawierzchni i obręczy, rdza zżerała ciągniki i brony w budynkach gospodarczych. Gdy chłopcy starli wielopokoleniowy brud z lufcików w drukarni, zajaśniało tam jak nigdy dotąd. Większość budynków, od szpitala, przez szkołę, do garaży, rozpaczliwie potrzebowała odmalowania – zwłaszcza internaty, a szczególnie te dla czarnych wychowanków. Był to niezły widok: wszyscy uczniowie, duzi i mali, uwijający się we wspólnym celu, krople farby na brodach, karolki

226

idące rozchybotanym krokiem, taszczące puszki dixie po całym terenie.

W Cleveland sekcyjny Carter sięgnął pamięcią do swojej przeszłości, którą spędził na placach budów, i pokazał chłopcom, jak uzupełniać zaprawę między starymi cegłami Miedziaka. Łomem wyrwano przegniłe deski podłogowe, pocięto nowe i ułożono je. Do zaawansowanych prac Hardee wezwał ludzi z zewnątrz. Wreszcie zainstalowano nowy bojler, przywieziony dwa lata wcześniej. Hydraulicy wymienili dwa pęknięte pisuary na piętrze, a krzepcy dekarze zajęli się pęcherzami i dziurami w pokryciu dachowym. Koniec przecieków budzących o piątej rano chłopców w sali numer 2.

Biały Dom odmalowano. Nikt nie widział, kto to zrobił. Jednego dnia wciąż miał obskurną postać, a już następnego odbijające się od ścian słońce tańczyło na gałkach ocznych.

Sądząc po minie Hardeego, gdy doglądał postępów prac, chłopcy sprawiali się świetnie. Co kilkadziesiąt lat w prasie pojawiał się artykuł o malwersacjach lub fizycznym znęcaniu się kadry nad podopiecznymi, który owocował postępowaniem wyjaśniającym władz stanowych. Pokłosiem były publikacje wymierzone przeciw „dawaniu lania" oraz ciemnicom i wyciskarkom. Administracja wprowadzała ściślejszą kontrolę dostaw, które wcześniej miały tendencję do znikania, jak również dochodów ze szkolnej działalności zarobkowej, które też lubiły przepaść bez śladu. Położono kres wypożyczaniu uczniów miejscowym rodzinom i firmom, zwiększono kadrę medyczną. Zwolniono wieloletniego dentystę i znaleziono nowego, którego ulubionym zajęciem nie były ekstrakcje.

Od czasu ostatnich zarzutów postawionych Miedziakowi upłynęły długie lata. Teraz zakład poprawczy był jedną z wielu instytucji na liście władz stanowych, która wymagała sporadycznego przeglądu.

Przydział prac – uprawa roślin, drukarnia, produkcja cegieł i tym podobne – obowiązywał jak dawniej, bo w ten sposób krzewiono poczucie odpowiedzialności, wyrabiano charakter i tak dalej, a poza tym było to istotne źródło dochodów. Dwa dni przed inspekcją Harper zawiózł Elwooda i Turnera do domu pana Edwarda Childsa, byłego nadzorcy okręgowego i wieloletniej podpory Florydzkiej Szkoły Przemysłowej dla Chłopców. Poprawczak i rodzina Childsa były związane ze sobą od niepamiętnych czasów. Pięć lat wcześniej Edward Childs i Kiwanis Club pokryli po połowie koszty zakupu strojów sportowych. Liczono na to, że przy odpowiedniej zachęcie facet ponownie okaże taką szczodrość.

Ojciec pana Childsa, Bertram, pracował we władzach lokalnych i również zasiadał w zarządzie szkoły. Był gorliwym zwolennikiem pracy za długi w czasach, gdy system ten cieszył się powodzeniem, i często wynajmował chłopców na zwolnieniu warunkowym. Zajmowali się końmi,

kiedy jeszcze stała tam stajnia, no i kurami. Tamtego popołudnia Elwood i Turner mieli sprzątać piwnicę, w której
sypiali wysyłani do prac chłopcy. Przy pełni księżyca stawali na pryczach i patrzyli na jego mleczną źrenicę przez
jedyne, popękane okienko.

Elwood i Turner nie znali dziejów piwnicy. Polecono im
usunąć sześćdziesięcioletnie rupiecie, żeby można było zamienić to pomieszczenie w pokój rekreacyjny z posadzką
w szachownicę i drewnianą boazerią. Nastoletnie dzieci
Childsa wywierały nacisk na tatę, on też miał pomysł na
zagospodarowanie tej przestrzeni, bo każdego sierpnia
żona z pociechami wyjeżdżała na dwa tygodnie do rodziny, zostawał więc sam. Tam będzie barek, zainstaluje się
nowoczesne oświetlenie i takie różne rzeczy, jakie pokazu-
ją w czasopismach. Zanim jednak ten sen mógł się spełnić,
na ostateczny przydział czekały stare rowery, zabytkowe
kufry podróżne, połamane kołowrotki i mnóstwo innych
zardzewiałych reliktów. Chłopcy otworzyli ciężkie drzwi
do piwnicy i zabrali się do roboty. Harper siedział w furgonetce. Palił i słuchał relacji z meczu baseballowego.

– Raj dla handlarza złomu – stwierdził Turner.

Elwood wniósł po schodach na górę plik starych wy-
dań „Saturday Evening Post" i dołożył go do sterty „Im-
perial Nighthawks" przy krawężniku. „Nighthawks" było
gazetą Ku-Klux-Klanu; egzemplarz na wierzchu ukazywał
jeźdźca w czerni, nocą, z płonącym krzyżem. Gdyby chło-

pak przeciął sznurek, przekonałby się, że to popularny motyw okładek. Odwrócił jednak plik czasopism, żeby nie widzieć tej ilustracji, i zobaczył reklamę kremu do golenia marki Clementine.

Turner dowcipkował sobie pod nosem i pogwizdywał jakiś kawałek grupy Martha and the Vandellas, a tymczasem myśli Elwooda podążyły określonym torem. Różne gazety dla różnych krajów. Przypomniał sobie, jak sprawdził w encyklopedii hasło „agape", kiedy przeczytał w „Defenderze" przemówienie doktora Kinga. Gazeta opublikowała je w całości po tym, gdy wielebny pojawił się w Cornell College. Jeśli nawet Elwood natknął się wcześniej na to słowo w ciągu lat wertowania tomiszcza, to nie utkwiło mu w głowie. King określił agape jako boską miłość obecną w sercu człowieka. Miłość bezinteresowną, miłość żarliwą, najwyższy rodzaj miłości. Wezwał swoich murzyńskich słuchaczy, by rozwijali w sobie taką postawę w stosunku do własnych ciemiężców, a w ten sposób osiągną swój cel.

Elwood usiłował pojąć to wszystko, bo już przestało być abstrakcją snującą mu się po głowie zeszłej wiosny. Teraz było rzeczywiste.

„Wtrąćcie nas do więzienia, a my i tak będziemy was kochać. Obrzućcie bombami nasze domy i groźcie naszym dzieciom, a my, choć to trudne, nadal będziemy was kochać. Wyślijcie nocą waszych zakapturzonych sprawców przemocy do naszych wspólnot, wyciągnijcie nas na boczną drogę, pobijcie, zostawcie na wpół żywych, a my ciągle będziemy was kochać. I nie miejcie złudzeń, złamiemy was naszą zdolnością do cierpienia i pewnego dnia wygramy naszą wolność".

Zdolność do cierpienia. Życie Elwooda – wszystkich miedziaków – sprowadzało się do tej zdolności. Była ich powietrzem, pożywieniem, snem. W przeciwnym razie by zginęli. Pobicia, gwałty, nieubłagane ścieranie na miazgę. Wytrzymywali. Ale kochać tych, którzy ich zniszczyli? „Waszej sile fizycznej przeciwstawimy siłę duszy. Róbcie z nami, co chcecie, i tak będziemy was kochać".

Pokręcił głową. Co za wymaganie. Niemożliwość.

– Słyszysz? – Turner pomachał dłonią przed rozkojarzoną twarzą Elwooda.

– Co?

Turner potrzebował pomocy na dole. Posuwali się do przodu, mimo typowej dla Turnera techniki przewlekania pracy, i pod schodami odkopali stertę starych kufrów. Rybiki i stonogi śmigały na wszystkie strony, gdy przeciągnęli kufry na środek piwnicy. Naklejki ozdabiające pościerane czarne płótno upamiętniały podróże do Dublina, nad wodospad Niagara, do San Francisco i innych odległych portów. Historia egzotycznych wypraw w minionych czasach, do miejsc, których ci dwaj chłopcy nigdy w życiu nie zobaczą.

Turner stęknął.

– Co tam jest w środku?

– Ja wszystko zapisuję – powiedział Elwood bez związku.

– Co wszystko?

– Wszystkie dostawy. Nasze prace ogrodowe i zadania. Nazwiska odbiorców i daty. Całą naszą pracę społeczną.

– A po co, czarnuchu?

Turner znał odpowiedź, ale chciał ją usłyszeć z ust Elwooda.

– Sam mi mówiłeś. Że nikt mnie stąd nie wydostanie. Że sam muszę to zrobić.

– Rany, nikt mnie nigdy nie słucha. Dlaczego akurat ty musiałeś zacząć?

– Właściwie z początku nie wiedziałem, po co to zapisuję. Ale już pierwszego dnia, wtedy z Harperem, zanotowałem wszystko, co zobaczyłem. I potem już poszło. W zeszycie. Jakoś dzięki temu lepiej się czułem. Chyba myślałem, żeby kiedyś komuś o tym powiedzieć. I teraz powiem. Dam ten zeszyt inspektorom, gdy przyjadą.

– I wydaje ci się, że co oni z tym zrobią? Twoja fotka trafi na okładkę „Time'a"?

– Chcę z tym skończyć.

– Jezu, jeszcze jeden kretyn. – Nad ich głowami zadudniły kroki. Przez cały dzień nie widzieli nikogo z rodziny Childsów i teraz Turner zabrał się do roboty, jakby gospodarze mieli rentgenowski wzrok. – Jakoś sobie radzisz.

Poza pierwszym razem nie miałeś żadnej afery. Zabiorą cię tam, zakopią, a potem wezmą się za mnie. Co, kurwa, z tobą nie tak?

– Nie masz racji, Turner. – Elwood szarpnął za rączkę sfatygowanego brązowego kufra. Pękła na pół. – To nie jest bieg z przeszkodami – ciągnął. – Nie da się przeskoczyć, ominąć. Trzeba przez to przejść. Trzymać głowę wysoko, żebym nie wiem co ci robili.

– Poręczyłem za ciebie – odparł przyjaciel, wycierając ręce w spodnie. – Dobra, dostałeś ochrzan i musiałeś to z siebie zrzucić, w porządku.

To znaczyło: koniec dyskusji.

Wynoszenie rupieci z domu było jak operacja chirurgiczna – wycięli chorą tkankę z organizmu i rzucili ją na tackę w postaci krawężnika. Turner walnął w drzwi furgonetki, żeby obudzić Harpera. Niedostrojone radio szumiało.

– Co z nim? – spytał kierownik, spoglądając na Elwooda.

Bo Turner był milkliwy, zaszła w nim wyraźna zmiana.

Elwood wzruszył ramionami i popatrzył przez okno.

Po północy, leżąc na pryczy, błądził myślami to tu, to tam. Do długiej listy zmartwień dołączyła teraz gniewna reakcja Turnera. Chodziło nie o to, co biali inspektorzy zrobią, ale o to, czy można im zaufać, że zrobią cokolwiek.

W tym sprzeciwie Elwood był sam. Dwa razy napisał do „The Chicago Defender", ale nie dostał odpowiedzi, nawet gdy wspomniał, że kiedyś wydrukowali mu już coś, co przysłał pod pseudonimem. Dwa tygodnie. Bardziej frustrująca niż podejrzenie, że redakcja nie jest zainteresowana tym, co się dzieje w Miedziaku, była myśl, że być może dziennikarze otrzymują mnóstwo podobnych listów, tak wiele wołań o pomoc, że nie mogą się z nimi uporać. Ameryka była dużym krajem, a jej upodobanie do uprzedzeń i ucisku nie znało granic, jak więc mogliby nadążyć z zajmowaniem się wszystkimi przypadkami niesprawiedliwości, małymi i dużymi? W końcu Miedziak to tylko jeden zakątek. Jadłodajnia w Nowym Orleanie, basen publiczny w Baltimore, który woleliby zalać betonem, niż pozwolić czarnemu dzieciakowi zamoczyć w nim stopę. Miedziak był jednym z tych miejsc, ale skoro istniał, oznaczało to, że istnieją setki podobnych, że są inne Miedziaki i Białe Domy – porozrzucane po całym kraju fabryki cierpienia.

Gdyby poprosił babcię o wysłanie listów, żeby uniknąć dręczącej niepewności, czy w ogóle wychodzą z Miedziaka, otworzyłaby je bez wahania i wyrzuciła do śmieci. Ze strachu przed tym, co mogłoby mu się stać – a przecież nie miała pojęcia, jak go traktowali do tej pory. Musiał zaufać obcemu człowiekowi, musiał wierzyć, że obcy człowiek zrobi to co należy. Wydawało się to niemożliwe, jak kochanie tych, którzy chcą cię zniszczyć, ale na tym polegało przesłanie całego ruchu: pokładać ufność w ostateczną przyzwoitość, obecną w sercu każdego człowieka.

„To czy to?" Czy ten świat, który zrobił z ciebie powłóczącą nogami trzęsidupę, czy ten prawdziwszy, absorbujący świat, który czeka, żebyś go dogonił?

Przy śniadaniu, w dniu wizyty inspektorów władz stanowych, Blakeley i inni wychowawcy z północnej części poprawczaka bez ogródek przedstawili zasady: „Uważajcie, jak któryś zacznie fikać, jego dupa będzie w opałach".

Blakeley, Terrance Crowe z internatu Lincolna i Freddie Rich, który pilnował chłopców w internacie Roosevelta. Freddie codziennie nosił ten sam pas z tą samą klamrą w kształcie bizona, usadowioną między kroczem a wydatnym brzuchem jak zwierzę siedzące między pagórkami.

Blakeley przekazał chłopcom harmonogram inspekcji. Był czujny, uważny, a poprzedniego wieczoru wyrzekł się „jednego do poduszki". Czarni uczniowie mają się pokazać dopiero po południu, powiedział. Inspekcja zaczynała się w części dla białych, od szkoły i internatów oraz innych obiektów, takich jak szpital i sala gimnastyczna. Hardee chciał się pochwalić boiskami, a w następnej kolejności wizytatorzy mieli pójść przez wzgórze na farmy, do drukarni i słynnej cegielni Miedziaka. Potem przyjdzie pora na część dla kolorowych.

– Pamiętajcie, że pan Spencer chętnie zamieni z wami słowo, jeśli zobaczy, że któryś ma koszulę na wierzchu portek albo brudne gacie wystają z szafki – powiedział Blakeley. – I to nie będzie miła pogawędka.

Trzej wychowawcy stanęli przed tacami z jedzeniem, jakie uczniowie niby to dostawali każdego dnia: jajecznica, szynka, świeży sok, gruszki.

– Proszę pana, kiedy oni tu będą? – spytał Terrance'a Crowe'a jeden z karolków.

Crowe był dużym, postawnym mężczyzną z wystrzępioną siwą brodą i wodnistymi oczami. Pracował w Miedziaku od ponad dwudziestu lat, co oznaczało, że widział wszelką podłość. Co – zdaniem Elwooda – oznaczało też, że jest jednym z głównych współsprawców.

– Za moment – odparł Crowe.

Gdy wychowawcy zajęli miejsca, chłopcy mogli zacząć posiłek.

Desmond podniósł wzrok znad talerza.

– Rany, takiej pychoty to nie miałem w gębie… – Nie mógł sobie przypomnieć. – Codziennie powinny być inspekcje.

– Zero gadek teraz – upomniał go Jaimie. – Żryj.

Uczniowie zajadali ze smakiem, wylizywali talerze. Pomimo ostrych słów łapówka zrobiła swoje. Wszyscy byli w dobrym humorze: wyżerka, nowe ubrania, odmalowana stołówka. Każdy, który miał przetarte spodnie na kolanach albo postrzępione nogawki, dostał nową parę. Buty błyszczały. Wcześniej kolejka do fryzjera zawijała się dwa razy dokoła budynku. Uczniowie prezentowali się elegancko. Nawet ci z grzybicą.

Elwood wypatrywał Turnera. Zobaczył go siedzącego z chłopakami od Roosevelta, z którymi kiblował przy pierwszej odsiadce. Po sztucznym uśmiechu na jego twarzy widać było, że wie, że Elwood na niego patrzy. Prawie ze sobą nie gadali od tamtego dnia w piwnicy. Turner nadal przestawał z Jaimiem i Desmondem, ale ulatniał się, gdy nadchodził Elwood. Rzadko bywał w świetlicy, zapewne przesiadywał na swoim poddaszu. Był prawie tak dobry w karaniu milczeniem jak babcia – Elwood potrafił to ocenić po latach praktyki z Harriet. Jakie płynęło z tego przesłanie? Morda w kubeł.

W normalnych okolicznościach środa była dniem pracy społecznej, ale z oczywistych powodów Elwood i Turner zostali z niej zwolnieni. Harper dopadł ich po śniadaniu i kazał im dołączyć do ekipy reperującej trybuny na boisku. Trybuny były w opłakanym stanie, chwiały się, obluzowane, najeżone drzazgami. Hardee zaczekał z naprawą do dnia inspekcji, aby wyglądało, że podobne duże remonty to chleb powszedni w Miedziaku. Pierwszych dziesięciu wychowanków miało wygładzać, malować lub wymieniać deski po jednej stronie boiska, druga dziesiątka po przeciwnej. Gdy inspektorzy skończą wizytację białej części zakładu, roboty będą już w toku. Elwood i Turner trafili do oddzielnych ekip.

Elwood wyszukiwał zużyte i spróchniałe deski. Małe szare robale roiły się pod drewnem, umykały przed promieniami słońca. Wpadł w miły rytm, gdy nagle zabrzmiał sygnał – inspektorzy wyszli z sali gimnastycznej i ruszyli na boisko piłkarskie. Próbował sobie wyobrazić, jak Turner by ich przezwał. Ten tęgi był sobowtórem Jackiego Gleasona, drugi, obcięty na rekruta, wyglądał jak zbieg z Mayberry, a ten wysoki to istny JFK. Miał kanciaste rysy zamordowanego prezydenta i takie same wspaniałe białe zęby, a w dodatku ostrzygł się identycznie, żeby uwydatnić podobieństwo. Inspektorzy zdjęli marynarki – słońce przygrzewało i zapowiadał się parny dzień – pod którymi mieli koszule z krótkimi rękawami i czarne krawaty ze spinkami, co przywiodło Elwoodowi na myśl przylądek Canaveral i tych łebskich facetów kreślących niewiarygodne trajektorie w swoich umysłach.

Nosił te słowa w sobie, jakby nosił kowadło w kieszeni drelichowych spodni z przydziału. „Ciemność nie zwycięży ciemności – powiedział wielebny – tylko światło może tego dokonać. Nienawiść nie pokona nienawiści, tylko miłość może tego dokonać". Przepisał listę dostaw i odbiorców z ostatnich czterech miesięcy, wszystko, nazwiska, daty, przekazane towary: worki ryżu, puszki brzoskwiń, półtusze wołowiny i szynki na Boże Narodzenie. Dodał trzy zdania o Białym Domu i Czarnej Ślicznotce, i jeszcze to, że uczeń o imieniu Griff zniknął bez śladu po mistrzostwach w boksie. Wszystko starannie wykaligrafowane. Nie podpisał się, oszukując sam siebie, że w ten sposób nie poznają jego tożsamości. Oczywiście, w końcu połapią się, że to on zakapował, ale wtedy już będą siedzieć w pierdlu.

To tak właśnie miało być? Wcześniej szedł z innymi ramię w ramię, ogniwo w ludzkim łańcuchu, ze świadomością, że za rogiem czeka biały tłum z kijami baseballowymi, szlauchami i wyzwiskami. Ale tutaj był sam – dokładnie tak, jak powiedział mu Turner jeszcze w szpitalu.

Chłopców nauczono, że niepytani nie mają prawa odzywać się do białego człowieka. Przyswajali tę zasadę od najwcześniejszych dni, w szkole, na ulicach i drogach swoich zapyziałych miasteczek. W Miedziaku jeszcze ją sobie utrwalili. Jesteś czarnym chłopcem w świecie białego człowieka. Elwood wyobrażał sobie różne okoliczności dostarczenia listu: szkoła, trawnik przed stołówką, parking przy budynku administracji. Ani razu nie udało mu się w głowie odegrać tej sztuki o emancypacji bez zakłóceń – Hardee i Spencer, na ogół ten drugi, wbiegali na scenę i wszystko udaremniali. Spodziewał się, że dyrektor i nadzorca będą oprowadzać inspektorów po terenie, ale nie, ci łazili samopas. Chodzili po betonowych ścieżkach, pokazywali palcem to i tamto, rozmawiali. Zatrzymywali ludzi, żeby zamienić z nimi kilka słów, raz przywołali białego ucznia biegnącego do biblioteki, potem wciągnęli panią Baker i inną nauczycielkę w pogawędkę.

Może się uda.

JFK, Jackie Gleason i Mayberry kręcili się teraz przy nowych boiskach do koszykówki – chytra zagrywka ze strony Hardeego – po czym ruszyli w kierunku boisk futbolowych.

– Zajmijcie się robotą, chłopaki – mruknął Harper i pomachał ręką do inspektorów.

Oddalił się w stronę trybun po przeciwległej stronie, żeby sprawiać wrażenie niezaangażowanego. Elwood zszedł ze schodków, wyminął Lonniego i Czarnego Mike'a, którzy niezdarnie umieszczali w rusztowaniu sosnową deskę. Idealny kąt do podania. Szybki przechwyt, a jeśli Harper to dostrzeże i spyta, co jest w kopercie, Elwood powie, że to rozprawka na temat ruchu walczącego o prawa obywatelskie i zmieniającej się sytuacji czarnych. Pisał ją od tygodni. Wciskanie kitu, tak na pewno podsumowałby to Turner.

Znalazł się dwa kroki od inspektorów. Serce mu waliło. Dłużej nie będzie taszczył tego kowadła.

Odbił w kierunku sterty drewna i wsparł ręce na kolanach.

Tamci ruszyli na wzgórze. Jackie Gleason rzucił jakiś dowcip, pozostali dwaj parsknęli śmiechem. Minęli Biały Dom, nie zaszczycając go nawet przelotnym spojrzeniem.

Uczniowie narobili takiego hałasu, gdy zobaczyli, co kuchnia przyrządziła im na obiad – hamburgery z tłuczonymi ziemniakami i lody, które tym razem ominęły drogerię w Eleanor – że Blakeley kazał im się uciszyć.

– Chcecie, żeby pomyśleli, że to jakiś cyrk z małpami?

Elwood czuł, że nie zdoła nic przełknąć. Stchórzyłem, pomyślał. Spróbuje jeszcze raz, w Cleveland. W świetlicy. Lub szybkie „Przepraszam pana" w korytarzu. Nie na otwartym terenie, nie na środku boiska. W ten sposób będzie miał osłonę. Da swój list JFK. A jeśli inspektor otworzy go na miejscu? Albo przeczyta, schodząc ze wzgórza, gdy do inspektorów dołączą Hardee i Spencer, żeby ich odprowadzić do bramy?

Wtedy w Białym Domu Elwood dostał wpierdol. Wziął to na siebie i ciągle tu tkwił. Nie było nic, czego nie mogliby zrobić i czego wcześniej by nie zrobili – biali czarnym – i czego w tym momencie nie robili, gdzieś w Montgomery i Baton Rouge, w jasny dzień, na ulicy przed Woolworthsem. Albo na cichej wiejskiej drodze, żeby nikt nie widział. Znowu go wychłostają, i to mocno, ale go nie zabiją, nie, jeśli władze dowiedzą się, co się tutaj dzieje. Jego umysł zaczął błądzić – w wyobraźni Elwood zobaczył konwój ciemnozielonych pojazdów Gwardii Narodowej wjeżdżający przez bramę Miedziaka i żołnierzy w szyku. Może ci żołnierze nie zgadzali się z tym, co kazano im robić, może sympatyzowali ze starym porządkiem, a nie z tym, co słuszne, ale musieli kierować się prawem obowiązującym w tym kraju. Tak jak ci, którzy ustawili się w szpaler w Little Rock, żeby przepuścić dziewięciu murzyńskich uczniów do Central High School, mur z ludzi odgradzający wściekłych białych od nastolatków, mur odgradzający przeszłość od przyszłości. Gubernator Faubus nie mógł nic na to poradzić, bo kraj jest większy niż Arkansas i jego nikczemne zacofanie – to Ameryka. Mechanizm sprawiedliwości uruchomiony przez kobietę, która w autobusie usiadła tam, gdzie nie wolno jej było usiąść, przez mężczyznę, który zamówił kanapkę z szynką w bufecie zakazanym dla czarnych. Albo przez list z dowodami.

„Musimy wierzyć we własną duszę, w to, że jesteśmy kimś, że się liczymy, że jesteśmy wartościowymi ludźmi, i musimy kroczyć po ścieżkach życia z godnością, z tym poczuciem bycia kimś". Jeśli on nie ma tego w sobie, to co ma? Następnym razem nie stchórzy.

Po obiedzie ekipa odnawiająca trybuny wróciła do pracy. Harper chwycił Elwooda za ramię.

– Zaczekaj.

Pozostali chłopcy ruszyli w dół wzgórza.

– Słucham.

– Masz iść na farmy i odnaleźć pana Gladwella – powiedział kierownik. Gladwell i jego dwaj pomocnicy zajmowali się wszystkimi uprawami w Miedziaku. Elwood nigdy nie miał do czynienia z tym człowiekiem, ale wszyscy go rozpoznawali po słomkowym kapeluszu i opaleniźnie, przez które wyglądał, jakby przepłynął wpław Rio Grande, by dotrzeć tutaj. – Ci urzędnicy nie wybierają się tam dzisiaj – dodał Harper. – Podobno przyślą innych ekspertów, żeby sprawdzili nasze farmy. Biegnij do niego i powiedz mu, że może się odprężyć.

Elwood odwrócił się w stronę wskazaną przez Harpera, ku głównej drodze, którą trzej inspektorzy zmierzali w kierunku Cleveland. Weszli do internatu. Pan Gladwell był Bóg wie gdzie, wśród limonek albo na polach ziemniaków, daleko, daleko stąd. Zanim Elwood wróci, inspektorzy już dawno odjadą.

– Lubię malować, Harper. Może niech pójdzie któryś z karolków?

– Szanowny panie Harper. – Na terenie poprawczaka należało przestrzegać zasad.

– Tak jest, proszę pana. No więc wolałbym naprawiać trybuny.

Kierownik zmarszczył brwi.

– Wszystkim wam dzisiaj odbiło – powiedział. – Rób, co ci każę, a w piątek znowu będzie jak zwykle.

Zostawił go na schodach przed wejściem do stołówki. W Boże Narodzenie Elwood stał dokładnie w tym samym miejscu, gdy Desmond powiedział jemu i Turnerowi o niestrawności Earla.

– Ja to zrobię.

Turner.

– Co?

– Chodzi mi o ten list, co go masz w kieszeni. Dam im, chuj z tym. Wystarczy na ciebie spojrzeć. Jakbyś był chory.

Elwood wypatrywał sygnałów w jego twarzy, ale Turner należał do oszustów tego świata, a oszuści nigdy nie zdradzają swojej taktyki.

– Mówię ci, że to zrobię. Za ciebie. A co, masz kogoś innego?

Elwood bez słowa podał mu list i pobiegł szukać pana Gladwella.

Odnalazł go dopiero po godzinie, siedzącego w wielkim rattanowym fotelu na skraju pola patatów. Mężczyzna wstał i spojrzał zmrużonymi oczami na chłopaka.

– Że co? No, w takim razie chyba mogę zakurzyć – odparł i ocucił swoje cygaro. Warknął na uczniów, bo zastygli na widok posłańca. – To nie znaczy, że koniec roboty! Ruszać się!

Elwood obrał długą drogę powrotną, wokół Boot Hill, obok stajni i pralni. Szedł powolnym krokiem. Nie chciał wiedzieć, czy Turner został powstrzymany, czy może go zakapował, a może po prostu zabrał list do swojej kryjówki i go spalił. Cokolwiek czekało go po drugiej stronie poprawczaka, czekało bez względu na to, kiedy tam dotrze, szedł więc nieśpiesznie, pogwizdując piosenkę z dzieciństwa, bluesa. Nie pamiętał słów, nie wiedział, czy to śpiewał ojciec, czy matka, ale czuł się dobrze, ilekroć ta melodia go dopadała – zstępował na niego chłód, jak cień chmury pojawiającej się znikąd, coś takiego, co potrafiło przełamać coś większego. I na krótką chwilę należało do ciebie, bo zaraz potem ruszało dalej.

Przed kolacją Turner zaprowadził go do swojej kryjówki na poddaszu magazynu. Miał zgodę na to, by swobodnie się włóczyć, lecz Elwood nie, więc musiał zdusić w sobie strach. Ale skoro napisał ten list, to powinien mieć dość odwagi, żeby bez pozwolenia wejść do magazynu. Kryjówka była mniejsza, niż sobie wyobrażał: zagracona wnęka, którą Turner wykroił dla siebie z większej jaskini – ściany ze skrzyń, sfatygowany wojskowy koc i poduszka z kanapy w świetlicy. Nie była to kryjówka sprytnego cwaniaka, lecz obskurne schronienie uciekiniera, który stawiając kołnierz, ukrył się przed ulewą.

Turner usiadł i oparł się o puszkę oleju maszynowego, obejmując rękami kolana.

– Zrobione – oznajmił. – Włożyłem go do „Gatora". Między strony gazety, tak samo robił pan Garfield, jak płacił łapówkę jebanym gliniarzom. Podbiegłem do gościa, jak już siedział w samochodzie, i powiedziałem, że może chciałby egzemplarz.

– Do którego?

– Do JFK, a do którego niby? Myślałeś, że dam temu gościowi, co wygląda jak Jackie Gleason? – prychnął lekceważąco.

– Dzięki.

– Chuj tam, nic nie zrobiłem. Dostarczyłem pocztę, i tyle.

Turner wyciągnął rękę. Uścisnęli sobie dłonie.

Wieczorem obsługa kuchni znowu zaserwowała lody. Wychowawcy, Hardee zapewne też, byli zadowoleni z przebiegu inspekcji. Nazajutrz w szkole oraz w piątek podczas prac społecznych Elwood wyczekiwał reakcji, jakby znów był w swoim liceum, na lekcji przyrody, i spodziewał się, że zaraz wybuchnie i zacznie dymić wulkan. Gwardia Narodowa nie wjechała z piskiem opon na parking Miedziaka, Spencer nie położył Elwoodowi zimnej dłoni na karku i nie powiedział, że mają problem. Nie tak to się odbyło.

Odbyło się jak zawsze. Nocą w internacie wpełzło mu na twarz światło latarki i zabrali go do Białego Domu.

# Rozdział piętnasty

O restauracji przeczytała w „Daily News" i zostawiła wycinek z gazety po jego stronie łóżka, żeby go nie przegapił. Od dłuższego czasu nie wychodzili nigdzie wieczorami. Już trzeci miesiąc jego sekretarka Yvette zwalniała się wcześniej z biura, żeby opiekować się matką, więc pod koniec każdego dnia musiał nadganiać z robotą. Jej matka była stara, ale teraz to się nazywało demencją. Jeśli chodzi o Millie, zbliżał się marzec, coroczny obłęd dopadł wszystkich, niedługo piętnasty kwietnia, więc ludzie obliczali swoje podatki.

– Okazują taki poziom wyparcia, że to zakrawa na szaleństwo – powiedziała jego żona.

Na ogół wracała do domu akurat na serwis informacyjny o jedenastej. Już dwa razy odwołał wieczorną randkę – „wieczorna randka" pochodziła z jakiegoś kobiecego czasopisma i zagnieździła się w jego słownictwie na stałe jak drzazga – więc tym razem Millie mu nie odpuści.

– Dorothy była tam dwa razy i mówi, że jest świetnie – powiedziała.

Dorothy wiele rzeczy uważała za świetne, na przykład brunch gospelowy, program *Amerykański idol* i organizowanie petycji przeciwko otwarciu nowego meczetu. Ugryzł się w język.

Wyszedł o siódmej, po tym jak próbował zrozumieć zasady nowego ubezpieczenia zdrowotnego, które Yvette wykombinowała dla firmy. Było tańsze, ale czy w dłuższej perspektywie nie zostanie orżnięty z powodu tego gównianego współpłacenia? Irytująca, odmóżdżająca biurokracja, jak zawsze. Jutro w pracy powie Yvette, by wytłumaczyła mu to jeszcze raz.

Wysiadł na przystanku City College przy Broadwayu i odbił na wzgórze. Było ciepło jak na marzec, ale pamiętał przynajmniej jedną śnieżycę w kwietniu na Manhattanie, więc za wcześnie było ogłaszać nadejście wiosny.

– Tak się dzieje zawsze, gdy schowasz już palto – powiedział.

Millie odparła, że gada jak stuknięty pustelnik żyjący w jaskini.

Nie było jej na rogu Sto Czterdziestej Pierwszej i Amsterdam, przy restauracji w sześciopiętrowej kamienicy. W „Daily News" określili to miejsce jako „nouveau Southern", „śródmiejski splendor z podtekstem". Na czym polegał ten podtekst? Że soul food przygotowywali biali? Flaczki z czymś marynowanym na wierzchu? W witrynie migotał neon reklamujący piwo Lone Star, a menu przy wejściu otaczała aureola z wysłużonych alabamskich tablic rejestracyjnych. Zmrużył oczy – wzrok już nie ten. Pomimo lipnego wystroju lokalu potrawy wydawały się w porządku, nieprzekombinowane, a gdy podszedł do stanowiska hostess, zobaczył, że większość klientów to miejscowi. Czarni, Latynosi, którzy prawdopodobnie pracowali w okolicy, na kampusach uniwersyteckich – ich obecność stanowiła rękojmię.

Hostessą była biała dziewczyna w jasnoniebieskiej hipisowskiej sukience, jedna z klanu. Po jej żylastych ramionach pełzały wytatuowane chińskie znaki, kto wie, co znaczyły. Udawała, że go nie widzi, więc zaczął się zastanawiać: „Rasizm czy kiepska obsługa?". Nie zabrnął zbyt daleko w swoich rozważaniach, gdy przeprosiła go za zwłokę – nowy system im siadł, wyjaśniła, patrząc chmurnym wzrokiem na szary ekran przy swoim stanowisku.

– Chciałby pan już usiąść czy zaczekać na swoje towarzystwo?

Wieloletni nawyk kazał mu powiedzieć, że zaczeka na zewnątrz, a potem, gdy stał na chodniku, nadeszło to dobrze znane uczucie tęsknoty – to Millie kazała mu rzucić palenie. Wysunął drażetkę gumy nikotynowej ze sreberka.

Ciepły przedwiosenny wieczór. Chyba nigdy wcześniej nie był na tej ulicy. Dalej przy Sto Czterdziestej Drugiej rozpoznał budynek, miał tam zlecenie, kiedy jeszcze pracował w ekipie. Czasem kręgosłup przypominał mu o dawnych czasach, ukłuciem i mrowieniem. Teraz kamienica nazywała się Hamilton Heights. Gdy za pierwszym razem jeden z jego dyspozytorów spytał, gdzie jest Hamilton Heights, kazał mu mówić, że przeprowadzka jest do Harlemu. Ale określenie się przyjęło. Agenci nieruchomości wymyślali nowe nazwy dla starych miejsc albo wskrzeszali stare nazwy starych miejsc, a to oznaczało, że dzielnica się odradza. Oznaczało, że młodzi ludzie, biali, znowu się tu przenoszą. Będzie na pokrycie kosztów wynajmu biura i płace. Chcesz, żebym cię przeprowadził do Hamilton Heights albo jaką tam sobie nazwę wymyślili, proszę bardzo, chętnie pomogę, zlecenie minimum na trzy godziny.

Ucieczka białych w przeciwną stronę. To dzieci i wnuki tych, którzy wynieśli się z wyspy wiele lat wcześniej, umykając przed rozruchami, zbankrutowanymi władzami municypalnymi i graffiti znaczącymi „pierdol się", bez względu na to, z jakich naprawdę składały się liter. Gdy się tu zjawił, miasto było takim chlewem, że wcale się tym ludziom nie dziwił. Ale to ich rasizm, strach i rozczarowanie umożliwiły mu nowy start w życiu. Chcesz się przenieść do Roslyn na Long Island, firma Horizon jest do twoich usług, a skoro wtedy zarabiał od godziny, a nie płacił za przepracowane godziny, to cieszył się, że pan Betts buli na czas, w gotówce, bez księgowania. Nieważne, jak się tragarz nazywał ani skąd się wziął.

Ze śmietnika wystawał „West Side Spirit". Zakonotował sobie, aby powiedzieć Millie, że nie chce tego wywiadu. Powie, gdy będą szli do łóżka, a może jutro, żeby nie zepsuć wieczoru. Jedna babka z jej klubu książki sprzedawała reklamy do tej gazety i zaproponowała Millie, że go zareklamuje w artykule z cyklu prezentującego miejscowe firmy. „Przedsiębiorczy przedsiębiorcy". Był naturszczykiem – czarnym gościem, który miał własną firmę przeprowadzkową, zatrudniał miejscowych, mentorował.

– Ja nikomu nie mentoruję – powiedział do Millie, zawiązując w kuchni worek na śmieci.

– To spory zaszczyt.

– Nie należę do tych, którzy muszą ściągać na siebie uwagę.

Sprawa była prosta – krótki wywiad, a potem przyślą fotoreportera, żeby zrobił zdjęcia jego nowego biura przy Sto Dwudziestej Piątej Ulicy. Może na jednym on, stojący przed furgonetkami – szef pełną gębą – żeby nadać właściwą perspektywę. Wykluczone. Rozegra to delikatnie, zamówi jedno, dwa ogłoszenia i koniec.

Millie spóźniała się już pięć minut. Nietypowe.

Coś nie dawało mu spokoju. Cofnął się o krok, potem jeszcze jeden i wreszcie zobaczył budynek dokładniej i uświadomił sobie, że już tu wcześniej był. W latach siedemdziesiątych. W miejscu restauracji był ośrodek społeczny czy coś w tym rodzaju, pomoc prawna, widok biurek, żebyś poczuł, że wszyscy są tacy sami jak ty. Pomagali wypełnić podanie o kartki żywnościowe i inne wsparcie w ramach programów rządowych, żeby pokonać opór biurokratów, a kancelarię prowadziły pewnie byłe Czarne Pantery. Pracował wtedy w Horizonie, więc to musiało być w latach siedemdziesiątych. Najwyższe piętro, środek lata, winda zepsuta. Taszczyli manele po tej posadzce wyłożonej sześciokątnymi białymi i czarnymi kafelkami, po schodach wytartych przez tak wiele stóp, że zdawały się uśmiechać – kilkanaście uśmiechów między jednym a drugim piętrem.

Zgadza się, umarła tam stara kobieta. Jej syn wynajął ich, żeby spakowali wszystko i zawieźli do jego domu na Long Island, a tam znieśli do piwnicy i zgrabnie wcisnęli między bojler a dziewicze wędki. Miało tam pozostać do czasu, aż umrze syn, a wtedy jego dzieci nie będą wiedziały, co z tym zrobić, i cały korowód zacznie się od początku. Krewni spakowali połowę rzeczy zmarłej, po czym skapitulowali – trzeba umieć czytać znaki, gdy ludzi przerasta skala przedsięwzięcia. W jego pamięci wciąż zachowała się kolekcja obrazków z tamtego popołudnia – w górę i w dół po piętrach; przepocone firmowe T-shirty; zamknięte na głucho okna, więżące zatęchłą woń odosobnienia i śmierci; puste szafki. Łóżko, w którym umarła, ogołocone aż do materaca w biało-niebieskie paski, z plamami po właścicielce.

– Bierzemy materac?

– Nie bierzemy.

Tylko jeden Bóg wie, że w tamtych czasach bał się takiej śmierci. Do świata dociera, co się stało, dopiero wtedy, gdy smród zaalarmuje sąsiadów i poirytowany administrator wpuści policję. Poirytowany, dopóki nie zobaczy zwłok, bo potem wszystko scala się w swoistą biografię – tak, rósł plik nieotwieranych przesyłek, a jednego razu facet sklął tę miłą panią mieszkającą obok i przysiągł, że potruje jej koty. Wykituje samotny w jednym ze swoich pokojów i o czym pomyśli w ostatniej chwili, tuż przed kopnięciem w kalendarz? O Miedziaku, Miedziaku prześladującym go do ostatniej chwili życia – naczynko w mózgu eksploduje albo serce sflaczeje w klatce piersiowej – i po drugiej stronie też. Może Miedziak to życie pozagrobowe, które na niego czeka, z Białym Domem u stóp wzniesienia, z wiekuistą owsianką i bractwem udupionych chłopców? Od lat nie myślał o takiej śmierci – spakował te obawy do pudła, a pudło wstawił do piwnicy, obok bojlera i zapomnianego sprzętu wędkarskiego. Razem z resztą rupieci z minionych dni. Dawno już przestał doszlifowywać tę fantazję. Nie dlatego, że miał kogoś w życiu, lecz dlatego, że tym kimś była Millie. Obtłukiwała złe części. Miał nadzieję, że on sam robi to samo.

Doznał nagłej inspiracji – zapragnął kupić jej kwiaty, jak na początku ich znajomości. Osiem lat upłynęło od chwili, gdy zobaczył ją na imprezie charytatywnej, kiedy starannym pismem wypełniała kupony loteryjne. Czy tak zachowują się normalni mężowie? Kupują kwiaty bez powodu? Tyle czasu upłynęło od wyjścia z poprawczaka, a on wciąż poświęcał kawałek każdego dnia na próby rozszyfrowania zwyczajów normalnych ludzi. Tych, którzy wychowali się w szczęśliwych rodzinach, dostawali trzy posiłki dziennie i buziaka na dobranoc, tych, którzy pojęcia nie mieli o Białym Domu, Zaułku Kochanków i sędziach okręgowych skazujących cię na piekło.

Spóźniała się. Gdyby się pośpieszył, w koreańskich delikatesach przy Broadwayu kupiłby tani bukiet i zdążył wrócić, zanim się zjawi. „Z jakiej to okazji?", spytałaby. „Z takiej, że jesteś całym moim wolnym światem".

Trzeba było wcześniej pomyśleć o kwiatach, przy kwiaciarni pod biurem albo gdy wysiadł z metra, bo właśnie w tej chwili powiedziała:

– No, jestem, mój przystojny mężu.

Wieczorna randka.

# Rozdział szesnasty

- - - - - - - - - -

Tatusiowie uczyli ich, jak trzymać niewolników pod butem, z pokolenia na pokolenie przekazywali to okrutne dziedzictwo. Uprowadź go z rodziny, wychłoszcz tak, że będzie pamiętał tylko bat, zakuj go w kajdany, tak że będzie znał tylko kajdany. Odsiadka w żelaznej wyciskarce, smażenie łba w skwarnym słońcu poskramiało mąciwodę, tak samo jak ciemnica, pomieszczenie w mroku, poza czasem.

Po wojnie secesyjnej, gdy pięciodolarowa grzywna za przestępstwo popełnione przez kolorowych – włóczęgostwo, zmiana pracodawcy bez zezwolenia, „bezczelny kontakt", cokolwiek – wtrącała czarne kobiety i mężczyzn w tryby niewolniczej pracy za długi, biali synowie upamiętniali tradycję rodzinną. Jamy w ziemi, kute pręty, odcięcie od życiodajnego oblicza słońca. Florydzka Szkoła Przemysłowa dla Chłopców nie działała jeszcze nawet pół roku, gdy magazynki na drugim piętrze zamieniono w izolatki. Jeden z majstrów szedł od internatu do internatu i wkręcał śruby. Ciemnic używano nawet po tym, jak w 1921 roku dwaj zamknięci w nich chłopcy zginęli w pożarze. Nowe pokolenie strzegło dawnego obyczaju.

Po drugiej wojnie światowej władze stanu zakazały ciemnic i wyciskarek. Nadszedł czas szeroko zakrojonej światłej reformy, nawet w Miedziaku. Ale cele czekały, puste, zastygłe, duszne. Czekały na krnąbrnych chłopców wymagających naprostowania. I nadal czekają, póki synowie – i synowie synów – będą pamiętać.

Druga chłosta Elwooda w Białym Domu nie była tak okrutna jak pierwsza. Spencer nie wiedział, jakich szkód narobił donos chłopca – kto jeszcze przeczytał list, kto się przejął, jakie reperkusje wywoła to w stolicy stanu.

– Cwany czarnuch – powiedział. – Skąd się biorą takie cwane czarnuchy?

Nadzorca stracił swoją charakterystyczną pogodę ducha. Zafundował Elwoodowi dwadzieścia cmoków, a potem, rozkojarzony, pierwszy raz podał Czarną Ślicznotkę Hennepinowi. Spencer zatrudnił Hennepina po odejściu Earla, nie wiedząc nawet, że znalazł idealnego następcę. Swoi wywąchają swoich. Przez większość czasu Hennepin miał na twarzy wyraz tępej złośliwości, człapiąc po terenie poprawczaka, ale rozpromieniał się przy każdej okazji do okrucieństwa, ożywiał go lubieżny szczerbaty uśmiech. Hennepin bił chłopca przez chwilę, ale potem Spencer złapał go za rękę. Nikt nie wiedział, co się dzieje w Tallahassee. Zabrali Elwooda do ciemnicy.

Kwatera Blakeleya znajdowała się po prawej stronie od schodów. Za drugimi drzwiami był mały korytarz i trzy pomieszczenia. Odmalowano je z powodu inspekcji i złożono tam sterty pościeli i zapasowych materaców. Nowa warstwa farby zakryła inicjały dawnych lokatorów, przesłania wydrapane w mroku przez lata. Inicjały, nazwiska, repertuar przekleństw i błagania. Kiedy drzwi otwierano i ryty ukazywały się ich autorom, wydawały się obcymi hieroglifami. To była demonologia.

Spencer i Hennepin zataszczyli pościel i materace do dwóch pokojów po przeciwległych stronach. Trzeci był pusty, gdy wrzucili tam Elwooda. Nazajutrz po południu sekcyjny na dyżurze dał chłopakowi wiadro jako kibel, ale tylko tyle. Światło przedzierało się przez siatkę w górnej połowie drzwi, szary blask, do którego w końcu przywykły oczy. Dawali mu jeść, gdy uczniowie szli na śniadanie, jeden posiłek dziennie.

Ostatni trzej lokatorzy tego pokoju skończyli marnie. To miejsce było przeklęte, do spółki nieszczęście i pech. Rich Baxter został skazany na pobyt tutaj za odpłacanie pięknym za nadobne – biały wychowawca dał mu w ucho, a w rewanżu on wybił mu trzy zęby. Miał niezły prawy sierpowy. Spędził w tym pomieszczeniu cały miesiąc, rozmyślając o wspaniałych aktach przemocy, których się dopuści wobec białego świata, gdy wyjdzie. Napady, masakry, mordy. Będzie ocierał skrwawione kłykcie o swoje drelichowe spodnie. Zamiast tego zaciągnął się do wojska i poległ – zamknięta trumna – dwa dni przed końcem wojny koreańskiej. Pięć lat później na górę wysłali Claude'a Shepparda za kradzież brzoskwiń. Po tygodniach spędzonych w ciemności nigdy już nie był tym samym człowiekiem – wszedł tam chłopiec, wykuśtykał mężczyzna. Wyrzekł się złego zachowania i poszukiwał remedium na swoją chroniczną bezwartościowość – nieporadna duchowa wędrówka. Trzy lata później Claude przedawkował heroinę w chicagowskiej noclegowni; leży w anonimowej mogile.

Jack Coker, bezpośredni poprzednik Elwooda Curtisa, został przyłapany na stosunku homoseksualnym z innym wychowankiem, Terrym Bonniem. Jack odsiedział swój ciemny wyrok w Cleveland, Terry na drugim piętrze internatu Roosevelta. Gwiazdy binarne w zimnej przestrzeni. Pierwsze, co Jack zrobił po wyjściu z ciemnicy, to wyrżnął Terry'ego krzesłem w twarz. No nie, nie pierwsze. Musiał zaczekać do kolacji. Ten drugi chłopak był jak lustro ukazujące jego własne zniszczone „ja". Jack skonał na podłodze w tancbudzie miesiąc przed przybyciem Elwooda do Miedziaka. Przesłyszał się i skoczył nieznajomemu facetowi do gardła. Facet miał nóż.

Po dziesięciu dniach Spencer poczuł się zmęczony swoimi obawami – tak naprawdę bał się często, nie nawykł jednak do tego, by strach budził w nim jeden z czarnych wychowanków – i złożył Elwoodowi wizytę. Sprawy przycichły w stolicy stanu, Hardee trochę się uspokoił. Najgorsze było za nimi. Ogólnie rzecz polegała na tym, że władze miały zbyt wiele rozumu, żeby interweniować. Tak to widział. Chociaż z roku na rok robiło się pod tym względem coraz gorzej. Ojciec Spencera był nadzorcą po południowej stronie zakładu i został zwolniony, gdy jednego z podopiecznych znaleziono uduszonego. Awantura wymknęła się spod kontroli i tatuś stał się kozłem ofiarnym. Dawniej było ciężko z pieniędzmi, teraz jeszcze ciężej. Spencer wciąż pamiętał te dni, gar peklowanej wołowiny i bulion, śmierdzące w tej małej kuchni, on z braćmi i siostrami w kolejce, żeby dostać porcję do obtłuczonej miski. Jego dziadek pracował dla T.M. Madison Coal Company w miejscowości Spadra w stanie Arkansas, pilnował czarnych skazańców przy wydobywaniu węgla. Nikt z władz okręgu, nikt z zarządu nie śmiał wtrącać się do sposobu, w jaki dziadek piastował swój urząd – facet uprawiał rzemiosło i oczekiwał szacunku dla swoich osiągnięć. Dla

Spencera poniżające było, że jeden z jego wychowanków napisał na niego donos.

Zabrał ze sobą Hennepina na drugie piętro. Reszta mieszkańców internatu jadła śniadanie.

– Pewnie się zastanawiasz, jak długo będziemy cię tu trzymać – powiedział.

Zafundowali Elwoodowi kilka kopniaków i Spencer od razu lepiej się poczuł, jakby w jego klatce piersiowej pękł nagle nieznośny wrzód zmartwień.

Najgorsze, co przydarzyło się Elwoodowi, przydarzało mu się codziennie. Budził się w tym pomieszczeniu. Nigdy nie zwierzył się nikomu z tych dni spędzonych w ciemności. Kto po niego przyjdzie? Nie uważał się za sierotę. Musiał zostać w domu, aby rodzice mogli znaleźć w Kalifornii to, czego szukali. Bez sensu mieć o to pretensje – żeby wydarzyło się jedno, musiało się wydarzyć drugie. Ubzdurał sobie, że pewnego dnia opowie ojcu o swoim liście, że to podobny list jak ten, który ojciec dał swojemu dowódcy, w sprawie traktowania czarnych żołnierzy, i za który dostał pochwałę na wojnie. Ale był takim samym sierotą jak wielu innych w Miedziaku. Nikt po niego nie przyszedł.

Długo rozmyślał o liście doktora Martina Luthera Kinga napisanym w więzieniu w Birmingham, o mocnym przekazie zza krat. Jedno prowadziło do drugiego – bez celi nie byłoby wezwania do walki. Elwood nie miał długopisu, nie miał papieru, miał tylko mury i wyzbył się już wszystkich wzniosłych myśli, a co dopiero mówić o mądrości i zgrabnej mowie. Świat przez całe życie podpowiadał mu szeptem swoje zasady, ale chłopak nie chciał słuchać, szukał wyższego porządku. Dlatego świat wciąż go instruował: nie kochaj, bo ci, których kochasz, odejdą, nie ufaj, bo zostaniesz zdradzony, nie sadź się, bo cię udupią. A jednak ciągle słyszał imperatywy wyższego rzędu. Kochaj, a odpłacą ci miłością, wierz we właściwą drogę, a doprowadzi cię ona do wyzwolenia, walcz, a sprawy ulegną zmianie. Nigdy nie słuchał i nie widział tego, co ma przed nosem, a teraz był całkiem wykreślony ze świata. Jedyne głosy należały do chłopców piętro niżej, wołania, śmiech i zalęknione okrzyki, gdy on unosił się w gorzkim niebie.

Więzienie w więzieniu. W ciągu tych długich godzin Elwood zmagał się ze słowami wielebnego: „Wtrąćcie nas do więzienia, a my i tak będziemy was kochać. (…) I nie miejcie złudzeń, złamiemy was naszą zdolnością do cierpienia i pewnego dnia wygramy naszą wolność. Nie tylko wygramy naszą wolność, ale po drodze tak przemówimy do waszych serc i sumień, że przeciągniemy was na swoją stronę i będzie to nasze podwójne zwycięstwo".

Gdy był mały, czatował przy jadalni w hotelu Richmond. Była zamknięta dla jego rasy, ale pewnego dnia miała się dla niej otworzyć. Elwood czekał i czekał. W ciemnicy przemyślał to swoje czuwanie. Świadomość, której poszukiwał, przekraczała pokrewieństwo czarnej skóry – wypatrywał kogoś, kto patrzyłby jak on, kogoś, kogo mógłby uznać za swoją rodzinę. Wypatrywał innych, którzy uznaliby jego za swoją rodzinę, tych, którzy widzieli nadejście tej samej przyszłości – cóż, być może niemrawej i nazbyt rozmiłowanej w poboczach i jałowych krętych ścieżkach – dostrojeni do głębszej tonacji przemówień i ręcznie malowanych haseł na protestach. Takich, którzy byli gotowi poświęcić się walce i ruszyć świat z posad. Lecz nigdy się nie pojawili. Ani w stołówce, ani nigdzie indziej.

Otworzyły się, skrobiąc po podłodze, drzwi na korytarz. Czyjeś kroki. Elwood przygotował się na kolejne bicie. Po trzech tygodniach w końcu zdecydowali, co z nim zrobią. Był pewien, że tylko wahanie tłumaczyło, dlaczego nie zabrali go tam, pod dęby, a potem nie zniknął na zawsze. Teraz, gdy sprawa przyschła, w Miedziaku przywrócono należytą dyscyplinę i dawne obyczaje, przekazywane z pokolenia na pokolenie.

Odskoczył rygiel. W drzwiach ukazała się szczupła sylwetka. Turner syknięciem uciszył Elwooda i pomógł mu wstać.

– Chcą cię tam jutro zabrać – szepnął.

– Taaa – mruknął Elwood, jakby kolega mówił o kimś innym. Był skołowany.

– Musimy wiać, człowieku.

Musimy? – pomyślał zdziwiony Elwood.

– A Blakeley?

– Ten czarnuch jest nieprzytomny. Ćśśś.

Turner podał Elwoodowi jego okulary, ubranie i buty, te, w których przyjechał, wzięte z szafki. Sam też miał na sobie cywilne łachy: czarne spodnie i granatową koszulę roboczą.

Musimy?

Przed inspekcją uczniowie wymienili skrzypiące deski podłogowe, ale kilka przegapiono. Elwood przekrzywił głowę, nasłuchując odgłosów z kwatery wychowawcy. Kanapa stała tuż przy drzwiach. Niejeden raz któryś z uczniów musiał drałować na górę, żeby obudzić Blakeleya przesypiającego pobudkę. Teraz nawet nie drgnął. Elwood był sztywny, z braku ruchu i od dwóch chłost. Turner go podtrzymywał. Na ramionach miał pękaty plecak.

Istniało niebezpieczeństwo, że natkną się na któregoś chłopca z sali numer 1 albo 2, idącego się wysikać. Ruszyli tak szybko, jak tylko dali radę, schodami w dół i niżej, na kolejne półpiętro.

– Walimy prosto – rzekł Turner, a Elwood wiedział, że chodzi mu o przejście obok świetlicy, do tylnych drzwi.

Na parterze światła paliły się przez całą noc. Elwood nie miał pojęcia, która jest godzina – pierwsza, druga w nocy? – w każdym razie była na tyle późna, że dyżurni wychowawcy zapadli głęboko w niedozwolony sen.

– Grają w pokera przy parkingu – wyjaśnił Turner. – Zobaczymy.

Wymknęli się poza obręb światła padającego z okien i potruchtali w kierunku głównej drogi.

Byli już na zewnątrz.

Elwood nie spytał Turnera, dokąd uciekają. Spytał: dlaczego?

– Ja pieprzę, przez ostatnie dwa dni miotali się, jakby dopadła ich sraczka. Spencer, Hardee. A potem Sam powiedział mi, że Lester mu mówił, że słyszał, jak gadali, że cię tam zabiorą. – Lester, uczeń z Cleveland, zamiatał podłogę w biurze, a więc wiedział na bieżąco o wszystkich ważnych sprawach, prawdziwy Walter Cronkite. – No i tyle. Czyli albo teraz, albo nigdy.

– Ale dlaczego idziesz ze mną?

Turner mógł przecież wskazać Elwoodowi kierunek ucieczki i życzyć mu szczęścia.

– Bo głąb z ciebie, dałbyś się złapać w godzinę.

– Przecież mówiłeś, że trzeba uciekać samemu.

– Racja. Widocznie ty jesteś głąb, a ja kretyn.

Turner skierował się w stronę miasteczka. Biegli poboczem, dając nura do rowu, ilekroć pojawiał się samochód. Kiedy zabudowa zgęstniała, przykucnęli, żeby odetchnąć, ku wielkiej uldze Elwooda. Bolały go plecy i nogi – tam gdzie Spencer i Hennepin chlastali go Czarną Ślicznotką. Jednak nagłość tej ucieczki zmniejszyła ból. Trzy razy rzucili się biegiem, bo w domach, które mijali, zaczęły ujadać psy. Nie widzieli zwierząt, ale szczekanie przyprawiało ich o szybsze bicie serca.

– Przez cały miesiąc siedzi w Atlancie – powiedział Turner.

Weszli do domu pana Charlesa Graysona, bankiera, któremu śpiewali urodzinowe „Sto lat" w dniu wielkiej gali bokserskiej. W ramach prac społecznych sprzątnęli i odmalowali jego garaż. Dom był duży, opustoszały. Dwaj synowie, bliźniacy, wyjechali na studia. Elwood i Turner wyrzucili wtedy mnóstwo zabawek z czasów, gdy synowie Graysona byli dziećmi. Identyczne czerwone rowery, przypomniał sobie Elwood. Nadal stały tam, gdzie je zostawili, obok narzędzi ogrodniczych. Księżyc świecił dostatecznie jasno, by mogli je dostrzec.

Turner napompował koła. Nawet nie musiał szukać pompki. Od jak dawna to planował? Prowadził własne zapiski – ten dom zapewni mu takie wsparcie, tamten inne – w podobny sposób jak Elwood.

Psów nie uda się przechytrzyć, jak już złapią trop, powiedział Turner.

– Trzeba wyrwać się jak najdalej. Żeby dzieliły nas od nich kilometry. – Sprawdził opony kciukiem i palcem wskazującym. – Myślę, że Tallahassee będzie dobre. Bo duże. Waliłbym na północ, ale nie znam okolic. W Tallahassee złapiemy autostop, a wtedy brytany musiałyby sobie wyhodować skrzydła, żeby nas dopaść.

– Chcieli mnie zabić i zakopać – powiedział Elwood.

– Amerykę odkryłeś.

– Uwolniłeś mnie.

– Fakt – przyznał Turner. Chciał coś dodać, ale się rozmyślił. – Dasz radę pedałować?

– Dam.

Jazda samochodem do Tallahassee trwała półtorej godziny. A rowerem? Kto wie, jak daleko uda im się dotrzeć przed wschodem słońca, w dodatku okrężną drogą. Za pierwszym razem, gdy z tyłu nadjechał samochód, było za późno, aby mogli się ukryć, więc pedałowali dalej, obojętnie patrząc przed siebie. Czerwony pick-up spokojnie ich wyminął. Potem trzymali się drogi, żeby pokonać jak najwięcej kilometrów, na ile tylko pozwalał stan Elwooda.

Wzeszło słońce. Elwood wracał do domu. Zdawał sobie sprawę, że nie może zostać w Tallahassee, ale wiedział, że nawet krótki pobyt w miasteczku uspokoi go po miesiącach spędzonych w świecie białego człowieka. Zamierzał jechać tam, gdzie każe mu Turner, tam, gdzie jest bezpiecznie, a potem znowu przeleje wszystko na papier. Spróbuje w redakcji „Defendera" i „New York Timesa". To opiniotwórcze gazety, co oznaczało, że uczestniczą w obronie systemu, zrobiły jednak spore postępy w relacjonowaniu walki o równouprawnienie. Może znowu spiknie się z panem Hillem? Po wylądowaniu w Miedziaku Elwood nie próbował kontaktować się z byłym nauczycielem – adwokat obiecał go odnaleźć – a przecież on zna ludzi. Ludzi z Pokojowego Komitetu Koordynacyjnego Studentów i tych z otoczenia wielebnego Kinga. Elwood przegrał, ale nie miał wyboru, znów musiał podjąć wyzwanie. Musiał się przeciwstawić, jeśli chciał, żeby świat się zmienił.

Turner z kolei myślał o tym, żeby złapać pociąg, myślał o ucieczce na północ. Tam nie było tak źle jak tutaj, tam Murzyn mógł być kimś. Być sobą. Być swoim szefem. Na północ, a jak nie trafi się żaden pociąg, doczołga się tam.

Nastał ranek i zwiększył się ruch na drodze. Turner zastanawiał się wcześniej, którą z dwóch wiejskich dróg powinni jechać. Jego wybór padł na tę, bo na mapie wydawała się mniej uczęszczana, a pod względem odległości nie było różnicy. Nie wątpił, że kierowcy się im przyglądają. Najlepszą taktyką było patrzeć wprost przed siebie. O dziwo, Elwood utrzymywał dobre tempo. Za zakrętem droga pięła się na wzniesienie. Gdyby to on, Turner, siedział w ciemnicy i dostał parę razy po dupie, zdechłby na tym podjeździe, chociaż to mała górka. Wytrzymały – taki był Elwood.

Turner naciskał kolano ręką. Przestał oglądać się do tyłu, ilekroć słyszał warkot samochodu za plecami, ale teraz coś go tknęło. Furgonetka z Miedziaka. Potem dostrzegł plamę rdzy na przednim błotniku. Furgonetka Harpera.

Po jednej stronie drogi rozciągały się pola – wały ziemi i bruzdy – a po drugiej otwarte pastwisko. Żadnego lasu, jak okiem sięgnąć. Pastwisko znajdowało się bliżej, otoczone białym drewnianym płotem. Turner krzyknął. W nogi.

Odbili na wyboiste pobocze i zeskoczyli z rowerów. Elwood przesadził ogrodzenie szybciej niż Turner. Jego koszulę znaczyła zakrzepła krew z rany na plecach. Turner dopadł go w sekundę i teraz biegli obok siebie. Uciekali przez wysoką rozkołysaną trawę i chwasty. Drzwi furgonetki otworzyły się i zaraz potem Harper i Hennepin przeleźli przez płot, żwawo. Mieli strzelby.

Turner zerknął do tyłu.

– Gazu!

W dole stoku stał jeszcze jeden płot, dalej rosły drzewa.

– Damy radę!

Elwood ciężko dyszał, usta miał szeroko otwarte.

Pierwszy strzał był niecelny. Turner znów się obejrzał. To Hennepin nacisnął spust. Harper przystanął. Trzymał broń tak, jak ojciec pokazywał mu w dzieciństwie. Ojca prawie nigdy nie było, ale tego akurat go nauczył.

Turner biegł zygzakiem, wciskając głowę w ramiona, żeby uchronić się od śrutu. „Nie złapiecie mnie, jestem

Piernikowym Ludzikiem". Ponownie spojrzał do tyłu –
i wtedy Harper strzelił. Elwood rozpostarł ręce na boki,
jakby sprawdzał solidność ścian w korytarzu, którym szedł
od bardzo dawna i który nie miał końca. Zrobił dwa nie-
pewne kroki i runął w trawę. Turner biegł dalej. Zadawał
sobie potem pytanie, czy usłyszał krzyk Elwooda lub jaki-
kolwiek inny odgłos, ale nigdy nie znalazł odpowiedzi.
Biegł – był tylko pęd i szum krwi w skroniach.

# Epilog

– – – – – – – – –

Automaty najwyraźniej go nie lubiły, mógłby dźgać w ekrany i mruczeć do usranej śmierci. Odprawił się przy stanowisku, u dwudziestoparoletniej czarnej dziewczyny, sama rzeczowość. Nowy chów, jak siostrzenice Millie, które nie dawały sobie wcisnąć żadnego kitu i nie bały się powiedzieć tego prosto w twarz.

– Lot do Tallahassee – rzekł Turner. – Na nazwisko Curtis.

– Poproszę dowód tożsamości.

Powinien wyrobić nowe prawo jazdy. Teraz, kiedy golił głowę codziennie, zupełnie nie przypominał siebie ze zdjęcia. Dawnego siebie. Wiedział, że jak dotrze do Tallahassee, to prawo jazdy będzie mu niepotrzebne. Stanie się częścią przeszłości.

Dwa tygodnie po ucieczce z Miedziaka, gdy właściciel jadłodajni spytał go o nazwisko, Turner powiedział „Elwood Curtis". To było pierwsze, co przyszło mu do głowy.

Brzmiało nieźle. Od tamtej pory używał tego nazwiska za każdym razem, gdy ktoś pytał. Żeby oddać cześć przyjacielowi.

Żeby żyć dla niego.

Śmierć Elwooda trafiła do gazet. Chłopak z okolicy, nie można uciec przed karnym ramieniem sprawiedliwości, takie tam pierdoły. Obok nazwisko Turnera czarno na białym, tożsamość drugiego uciekiniera. „Młody Murzyn". Poza tym żadnego opisu. Jeszcze jeden czarny gówniarz sprawiający kłopoty, więcej nie trzeba wiedzieć. Turner ukrył się w dawnym rewirze Jaimiego – przy torowisku w All Saints. Zaryzykował jedną noc na miejscu, a potem wskoczył do towarowego jadącego na północ. Pracował to tu, to tam, na budowach, w knajpach, dorywcza robota na wybrzeżu. W końcu trafił do Nowego Jorku i tam został.

W 1970 roku po raz pierwszy wrócił na Florydę i zgłosił się po odpis aktu urodzenia Elwooda. Minusem zadawania się z podejrzanymi typami na budowach i w spelunach było to, że odstawiali lewiznę, za to znali się na różnych ciemnych sprawkach, na przykład wiedzieli, jak załatwić odpis aktu urodzenia nieżyjącego faceta. Nieżyjącego chłopaka. Data i miejsce urodzenia, imiona rodziców. Kiedyś było to proste, ale potem władze stanu wprowadziły sporo utrudnień. Dwa lata później Turner złożył podanie o ubezpieczenie społeczne. Przyszło, znalazł je w skrzynce pocztowej, razem z ulotką sieci marketów A&P.

Drukarka przy stanowisku czarnej dziewczyny warknęła i zaszumiała.

– Życzę panu miłego lotu – powiedziała z uśmiechem hostessa. – Jeszcze coś?

Ocknął się.

– Dziękuję – odrzekł, zagubiony w miejscu z przeszłości.

Jego pierwsza wizyta na Florydzie od czterdziestu trzech lat. Jakby Floryda wyciągnęła rękę z ekranu telewizyjnego i capnęła go do środka.

Poprzedniego wieczoru, kiedy Millie wróciła do domu, pokazał jej dwa wydrukowane artykuły o Miedziaku i grobach.

– To okropne – stwierdziła. – Tym ludziom wszystko uchodzi na sucho.

Z jednego artykułu wynikało, że Spencer nie żył już od kilku lat, ale Earl wciąż się poniewierał po świecie. Dozipał dziewięćdziesięciu pięciu nędznych lat. Był emerytowanym „szanowanym mieszkańcem Eleanor", który w 2009 roku został uhonorowany przez miasto tytułem Obywatela Roku. Na zdjęciu w gazecie widniał zgrzybiały starzec, który stał na swoim ganku, podparty laską, ale spojrzenie jego zimnych stalowych oczu przyprawiło Turnera o dreszcz.

– Czy to prawda, że potrafił pan wymierzyć chłopcom trzydzieści, czterdzieści razów pasem? – spytał dziennikarz.

– To kłamstwa, redaktorze – odparł Earl. – Przysięgam na życie moich dzieci. Wprowadzałem tylko odrobinę dyscypliny.

Millie oddała wydruki Turnerowi.

– Przecież wiadomo, że ten dziad bił chłopców. „Odrobina dyscypliny".

Nie rozumiała. Jak miałaby zrozumieć, w końcu życie spędziła na wolności.

– Siedziałem tam – wyznał.

Jego ton.

– Elwood?!

To z kolei zabrzmiało, jakby chciała sprawdzić, czy lód, po którym stąpa, wytrzyma jej ciężar.

– Siedziałem w Miedziaku. To właśnie ten poprawczak. Mówiłem ci, że byłem w poprawczaku, ale nie mówiłem w którym.

– Elwood, chodź do mnie.

Opadł na kanapę. Wbrew temu, co powiedział jej przed laty, nie odsiedział kary, tylko uciekł. Wyznał wszystko, nie opuścił niczego, także historii przyjaciela.

– To on miał na imię Elwood – zakończył.

Siedzieli na kanapie przez dwie godziny. Nie licząc piętnastu minut, które spędziła w sypialni, za zamkniętymi drzwiami. „Przepraszam na moment". Wróciła z zaczerwienionymi oczami i znów zaczęli rozmawiać.

W pewnym sensie po śmierci Elwooda Turner opowiadał jego historię na okrągło, latami ją wspominając, dokonując korekt, aż wreszcie z płochliwego bezdomnego kocura, jakim był za młodu, stał się prawdziwym mężczyzną, z którego, jak sądził, Elwood byłby dumny. Nie chodzi o to, żeby tylko przetrwać, ale trzeba żyć – słyszał głos przyjaciela, krocząc w słońcu po Broadwayu albo zarywając noce nad książkami. Turner wylądował w Miedziaku z głową pełną taktyki i z trudem opanowanych sztuczek, z talentem do unikania kłopotów. Przeskoczył przez ogrodzenie na drugą stronę pastwiska, pobiegł do lasu i zniknął razem z Elwoodem. Przez wzgląd na przyjaciela starał się znaleźć inną drogę w życiu. Teraz był tu, gdzie był. Dokąd go zaprowadziła?

– Twoja kłótnia z Tomem – powiedziała Millie.

Drobnoziarniste fragmentaryczne kadry z ostatnich dziewiętnastu lat. Łatwiej było jej się skupić na szczegółach. Ostawały się błahostki, zasłaniając pełny obraz. Kłótnia z Tomem, z którym robił w pierwszej firmie przeprowadzkowej. Przyjaźnili się od dawna. Był czwarty lipca, Tom urządził grilla u siebie w domu, w Port Jefferson. Rozmawiali o jakimś raperze, który właśnie wyszedł z więzienia po odsiadce za miganie się od podatków. I wtedy Tom zanucił kawałek z czołówki serialu o policjantach:

– Zgrywałeś chojraka, to czeka cię paka.

– No i właśnie dlatego sadystom zawsze się upiecze, bo ludzie tacy jak ty uważają, że osadzeni zasłużyli na swój los.

Dlaczego on… kto właściwie? Elwood czy Turner? W każdym razie człowiek, za którego wyszła za mąż. Dlaczego bronił wtedy tego złodzieja? Dlaczego dostał szału? Dlaczego na oczach wszystkich nawrzeszczał na Toma, który w tym swoim durnym fartuszku akurat przerzucał burgery. Milczeli przez całą drogę powrotną na Manhattan. Kolejne drobne rzeczy: potrafił wyjść w trakcie filmu, właściwie bez słowa wyjaśnienia. „Nudne to". Tylko dlatego, że scena, w której pojawiały się przemoc i bezradność, przenosiła go z powrotem do Miedziaka. Prawie zawsze był bardzo spokojny, ale nawet wtedy mrok wkradał się w jego serce. Tyrady na temat policji, wymiaru sprawiedliwości i sadystów – wszyscy nienawidzili policji, ale to było coś innego i Millie nauczyła się, że trzeba mu pozwolić się wyszaleć, bo widziała ten piekielny wyraz jego twarzy i wyczuwała gwałtowność słów. Koszmary, które go dręczyły, te, których jakoby już nie pamiętał – wiedziała, że mieszkał w domu poprawczym, ale nie wiedziała, że właśnie w tym. Położył głowę na jej kolanach i płakał, a ona gładziła palcem to jego rozcięte ucho bezpańskiego kota. Ranę, której nigdy nawet nie zauważyła, choć miała ją przed oczami.

Kim był? Był sobą, człowiekiem, którym był zawsze. Pierwszej nocy powiedziała mu, że rozumie, na tyle, na ile potrafiła zrozumieć. Był sobą. On i ona, rówieśnicy. Dorastała w tym samym kraju, miała ten sam kolor skóry. W 2014 roku mieszkała w Nowym Jorku. Czasem nawet z trudem sobie przypominała, jak ciężko bywało, kiedy na przykład podczas odwiedzin u rodziny w Wirginii pochylała się nad wodotryskiem dla kolorowych – ten ogromny wysiłek, jaki biali ludzie wkładali w to, żeby ich pognębić – a potem nagle wszystko wróciło, wspomnienia wywołane drobnostkami, jak wystawanie na rogu i bezskuteczne próby złapania taksówki, rutynowe upokorzenia, o których zapominała pięć minut później, bo inaczej postradałaby zmysły, a także rzeczami ważnymi, jak podróż przez podupadłą dzielnicę, zgnębioną tym samym ogromnym wysiłkiem, czy kolejny chłopak odstrzelony przez gliny: w naszej ojczyźnie traktują nas jak podludzi. Zawsze tak było. I może zawsze będzie. Bez znaczenia, jak on się nazywa. To było wielkie kłamstwo, ale nie miała o to pretensji, bo rozumiała, że życie dało mu mocno w kość, rozumiała coraz lepiej, w miarę jak poznawała jego historię. Wyrwał się stamtąd i wyszedł na ludzi, stał się człowiekiem zdolnym do takiej miłości, jaką ją obdarzył, stał się mężczyzną, którego kochała – to oszustwo nie miało znaczenia w świetle tego, jak zmienił swoje życie.

– Nie będę mówiła do męża po nazwisku.

– Jack. Jack Turner. – Nikt go tak nigdy nie nazywał oprócz matki i ciotki.

– Spróbujmy – powiedziała. – Jack, Jack, Jack.

W jej ustach zabrzmiało to całkiem dobrze. Z każdym kolejnym razem wypadało coraz prawdziwiej.

Byli wykończeni. W łóżku odezwała się jeszcze:

– Musisz mi wszystko opowiedzieć. Jedna noc to za mało.

– Wiem. Opowiem ci.

– A jak cię wsadzą do więzienia?

– Nie wiem, co się stanie.

Powinna z nim jechać. Chciała. Ale jej nie pozwolił. Da jej znać, gdy już zrobi to, co musi zrobić. Obojętnie, jak to się tam skończy.

Potem już nie rozmawiali. Nie spali. Wtuliła się w jego plecy, a on sięgnął do jej tyłka, by się upewnić, że mu się nie przyśniła.

Stewardesa przy wyjściu ogłosiła lot do Tallahassee. Miał cały rząd dla siebie. Wyciągnął nogi i zasnął – w końcu zaliczył nieprzespaną noc – a gdy się obudził, znów podjął sam ze sobą spór na temat zdrady. Millie wszystko w nim zmieniła. Wyprostowała go tam, gdzie był pokręcony. A on ją zdradził. Zdradził też Elwooda, oddając ten list. Powinien był go spalić, wybić chłopakowi ten kretyński pomysł z głowy, zamiast milczeć. Lecz Elwood zawsze dostawał tylko milczenie. Powiedział: „Przeciwstawię się". W reakcji na to świat milczał. Ech, ten Elwood i jego wspaniałe imperatywy moralne, jego szczytne ideały, wiara, że ludzka istota jest zdolna zmienić się na lepsze. A świat można naprawić. Uratował Elwooda przed tymi dwiema żelaznymi obręczami, przed tajnym cmentarzem. Bo pochowali go na Boot Hill.

Powinien był spalić ten list.

Z tego, co wyczytał o Miedziaku w ostatnich latach, wynikało, że martwych chłopców grzebano bardzo szybko, aby uniknąć dochodzenia, słowem nie informując krewnych o tym, co się stało – ale kto miałby pieniądze, żeby ściągnąć zwłoki do domu i urządzić ponowny pochówek? Nie Harriet. Turner znalazł jej nekrolog w internetowych archiwach jednej z gazet Tallahassee. Umarła rok po wnuku. Nie wspomniano, czy jej wciąż żyjąca córka, Evelyn, zjawiła się na pogrzebie. Turner miał teraz pieniądze, żeby po ludzku pochować przyjaciela, ale z wszelkim zadość-uczynieniem należało poczekać. Tak samo jak z opowiedzeniem Millie całej historii, żeby pojęła do końca, z kim się związała. Nie mógł teraz myśleć o niczym innym jak tylko o tym, że wraca do Miedziaka.

Przy postoju taksówek przed lotniskiem w Tallahassee chciał wycyganić papierosa od nałogowego palacza raczącego się nikotyną po przymusowym odwyku w samolocie. Wizja surowej miny Millie ostudziła jego zapędy, więc zagwizdał *No Particular Place to Go*, żeby oderwać myśli od palenia. W drodze do hotelu Radisson znowu sprawdził artykuł z „Tampa Bay Times". Tak często go czytał, że palcami rozsmarował tusz – po powrocie, kiedykolwiek to będzie, musi poskarżyć się Yvette na toner. Firma As miała przyszłość. Albo i nie.

Konferencję prasową wyznaczono na jedenastą. Zdaniem gazety szeryf Eleanor zamierzał przedstawić wyniki badania stanu mogił, a profesor archeologii z Uniwersytetu Południowej Florydy – wyniki badań zabezpieczonych zwłok. Zeznawać miało kilku dawnych wychowanków, których brano do Białego Domu. Przez ostatnie lata Turner był na bieżąco dzięki ich stronie internetowej – zjazdy, historie o codziennym życiu w poprawczaku, próby rehabilitacji. Chcieli pomnika i oficjalnych przeprosin od władz stanowych. Chcieli być wysłuchani. Wcześniej uważał to za żałosne, to biadolenie nad tym, co stało się czterdzieści, pięćdziesiąt lat temu, ale teraz był świadom, że to jego własna żenująca postawa budzi w nim największą odrazę, ten strach, który poczuł na widok nazwy i zdjęć dawnego poprawczaka. Bez względu na pozory, które zachowywał i wtedy, i teraz, brawurę, którą się popisywał przed Elwoodem i innymi. Bo przez cały czas się bał. I nic się pod tym względem nie zmieniło. Władze stanu Floryda zamknęły zakład poprawczy trzy lata temu, a teraz wszystko wychodziło na jaw, jakby wychowankowie musieli zaczekać na śmierć Miedziaka, żeby w końcu opowiedzieć jego historię. Obecnie nic im nie groziło, nie zostaną zgarnięci w środku nocy i skatowani. Mogło ich zaboleć wyłącznie w tradycyjny sposób.

Wszyscy dawni uczniowie na stronie internetowej byli biali. A kto przemówi w imieniu czarnych? Najwyższa pora, żeby ktoś to zrobił.

Gdy w wieczornych wiadomościach zobaczył teren i upiorne budynki, zrozumiał, że musi wrócić. Opowiedzieć historię Elwooda bez względu na konsekwencje. Turner zastanawiał się, czy wciąż jest poszukiwany. Nie znał się na prawie, ale nigdy nie lekceważył bałamutnych zawiłości systemu. Ani wtedy, ani teraz. Co ma się stać, to się stanie. Odnajdzie grób Elwooda, opowie przyjacielowi o swoim życiu, odkąd los ich rozdzielił na tym pastwisku. O tym, jak tamta chwila narastała w nim i zmieniła koleje jego życia. Powie szeryfowi, kim naprawdę jest, powie o Elwoodzie, o tym, co mu zrobili, gdy próbował położyć kres ich zbrodniom.

Powie tamtym chłopcom z Białego Domu, że jest jednym z nich, że przetrwał, tak jak oni. Powie każdemu, kto będzie chciał słuchać, że mieszkał dawniej w tym miejscu.

Hotel Radisson stał w śródmieściu, przy Monroe Street. Stary budynek, który podwyższyli o kilka pięter. Nowoczesne ciemne okna i brązowy siding nowej części kontrastowały z czerwoną cegłą trzech najniższych kondygnacji, ale w sumie tak było chyba lepiej, niż wyburzyć wszystko i zacząć od zera. Za dużo tego w dzisiejszych czasach, zwłaszcza w Harlemie. Te budynki tak wiele w życiu widziały, lecz oni się tym nie przejmują, zrównują je z ziemią. Ale tutaj stary hotel posłużył za dobry fundament. Minęło sporo czasu, odkąd Turner ostatni raz widział architekturę Południa ze swojej młodości, otwarte werandy, białe balkony oplatające całe piętra jak taśma klejąca.

Turner rozgościł się w swoim pokoju. Otworzył walizkę, ale zaburczało mu w brzuchu, więc zszedł do hotelowej restauracji. Wypadła pora między posiłkami, było pusto. Zgarbiona kelnerka siedziała przy punkcie przyjmowania gości, blada nastolatka o farbowanych na czarno włosach. Miała T-shirt z nazwą zespołu, o którym nigdy nie słyszał, czarny, z nadrukiem roześmianej zielonej czaszki. Jakiś heavy metal. Odłożyła czasopismo i powiedziała:

– Może pan usiąść, gdzie pan chce.

Sieć urządziła jadalnię w nowoczesnym hotelowym stylu, dużo zielonego plastiku, łatwego do wycierania. Trzy nachylone pod różnym kątem ekrany nadawały ten sam serwis informacyjny miejscowej telewizji, wieści były niedobre, jak zawsze, a z ukrytych głośników sączył się popowy hit z lat osiemdziesiątych, wersja instrumentalna z syntezatorami na pierwszym planie. Przejrzał menu i zdecydował się na hamburgera. Nazwa restauracji – Blondie's! – pyszniła się na pierwszej stronie nadętym złotym liternictwem, a poniżej krótki akapit opowiadał o dziejach tego miejsca. Dawniej hotel Richmond, podobno jeden z symboli i chluba Tallahassee, więc zadbano o zachowanie ducha tego zabytkowego budynku. W sklepiku przy recepcji sprzedawano pocztówki.

Gdyby był mniej zmęczony, być może skojarzyłby nazwę hotelu z historią, którą usłyszał kiedyś, za młodu, o chłopcu lubiącym czytać książki przygodowe w hotelowej kuchni, ale to powiązanie mu umknęło. Był głodny, a obsługiwali przez cały dzień – i to wystarczyło.

# Podziękowania

- - - - - - - - -

Ta książka to fikcja literacka, a wszystkie postacie są zmyślone, niemniej zainspirowała mnie sprawa Dozier School for Boys w mieście Marianna w stanie Floryda. Pierwszy raz usłyszałem o tej instytucji latem 2014 roku, a w „Tampa Bay Times" znalazłem wyczerpujące relacje Bena Montgomery'ego. Zainteresowani mogą sięgnąć do archiwów gazety. Artykuły Montgomery'ego doprowadziły mnie do doktor Erin Kimmerle i jej studentów archeologii z Uniwersytetu Południowej Florydy. Podjęte przez ten zespół badania archeologiczne okazały się nieocenione, a ich plonem jest *Report on the Investigation into the Deaths and Burials at the Former Arthur G. Dozier School for Boys in Marianna, Florida* (Raport z dochodzenia w sprawie zgonów i pochówków w byłej Arthur G. Dozier School for Boys w Mariannie w stanie Floryda), dostępny na stronach internetowych uczelni. W mojej powieści Elwood, przebywając w szpitalu, czyta broszurkę szkolną – jej treść zaczerpnąłem właśnie z tego raportu, z części opisującej codzienność placówki.

Officialwhitehouseboys.org to adres internetowy wychowanków tej szkoły, pod którym można przeczytać historie opowiedziane ich własnymi słowami. W rozdziale 4, gdy nadzorca Spencer przedstawia swój stosunek do dyscypliny, cytuję Jacka Townsleya. Świetnymi relacjami z życia tej instytucji są: pamiętnik *The White House Boys: An American Tragedy* Rogera Deana Kisera oraz *The Boys of the Dark: A Story of Betrayal and Redemption in the Deep South* Robina Gaby'ego Fishera (we współpracy z Michaelem O'McCarthym i Robertem W. Straleyem).

Z kolei artykuł Nathaniela Penna *Buried Alive: Stories From Inside Solitary Confinement*, opublikowany na łamach „GQ", zawiera wywiad z dawnym wychowankiem, Dannym Johnsonem, który mówi: „Najgorsza rzecz, jaka mi się przydarzyła w izolatce więziennej, przydarza mi się codziennie. Wtedy, gdy się budzę". Danny Johnson spędził w odizolowaniu dwadzieścia siedem lat. Odwołałem się do tych słów w rozdziale 16. Były strażnik więzienny Tom Murton napisał, we współpracy z Joe Hyamsem, książkę o systemie penitencjarnym w stanie Arkansas zatytułowaną *Accomplices to the Crime: The Arkansas Prison Scandal*. To szczegółowy obraz korupcji, który stał się kanwą filmu *Więzień Brubaker*, z całą pewnością wartego obejrzenia. Z kolei *Historic Frenchtown: Heart and Heritage in Tallahassee* autorstwa Julianne Hare to wspaniała opowieść o afroamerykańskiej społeczności tytułowego miasta.

W powieści dość często cytuję wielebnego Martina Luthera Kinga; ożywcze było słyszeć jego głos w swojej głowie. Elwood przywołuje słowa ze *Speech Before the Youth March for Integrated Schools* (1959), z płyty *Martin Luther King at Zion Hill* (1962), zwłaszcza z części „Fun Town", a także z *Letter from Birmingham Jail* oraz z przemówienia w Cornell College (1962). Cytat: „Murzyni są Amerykanami" pochodzi z *Notatek syna swego kraju* Jamesa Baldwina.

Próbowałem ustalić, co pokazywano w telewizji trzeciego lipca 1975 roku. W archiwum „New York Timesa" można znaleźć program telewizyjny z tego dnia i w ten sposób natrafiłem na klejnot.

To moja dziewiąta książka wydana przez Doubleday. Stokrotne podziękowania kieruję do Billa Thomasa, mojego wspaniałego, wybornego redaktora i wydawcy, oraz do Michaela Goldsmitha, Todda Doughty'ego, Suzanne Herz, Olivera Mundaya i Margo Shickmanter za hojne wsparcie, ciężką pracę i wiarę we mnie przez te wszystkie lata. Dziękuję Nicole Aragi, nadzwyczajnej agentce, bez której byłbym jeszcze jednym niespełnionym pisarzem, oraz Grace Dietsche i wszystkim z ekipy Aragi. Dziękuję sympatycznym ludziom z Book Group za słowa zachęty. Wyrazy wdzięczności i miłości kieruję do mojej rodziny – Julie, Maddie i Becketta. Szczęściarzem jest ten, który może dzielić z nimi życie.

Colson Whitehead

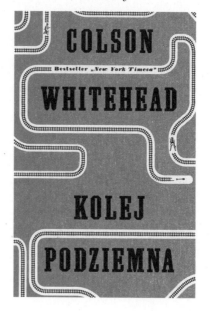

**Zdobywczyni NAGRODY PULITZERA 2017**

**Wyróżniona NATIONAL BOOK AWARD 2016**

**Ulubiona powieść Baracka Obamy i Oprah Winfrey!**

**Jedna z najważniejszych książek o Ameryce, jakie kiedykolwiek napisano!**

Cora jest niewolnicą na plantacji bawełny w stanie Georgia. Jej i tak nie-łatwe życie wkrótce ma zamienić się w koszmar. Kiedy więc Caesar, najnow-szy nabytek plantatora, opowiada jej o „kolei podziemnej", oboje ryzykują ucieczkę. Po piętach depcze im pościg, a schwytanie oznacza los gorszy od śmierci...

Colson Whitehead odsłania przed czytelnikami tajniki systemu przerzuto-wo-ratunkowego dla zbiegłych niewolników, odtwarzając jego konstrukcję i szlaki ucieczkowe. Ale w jego powieści ten organizacyjny majstersztyk, pozwalający czarnoskórym zbiegom odnaleźć wolność na północy, zyskuje także metaforyczny wymiar.

Cora niczym mityczny Odyseusz lub Swiftowski Guliwer przemierza kolejne stany Ameryki, z których każdy przeraża i zadziwia ją bardziej niż poprzed-ni. Poszukuje bezpiecznej przyszłości, ale też rozprawia się z przeszłością, która wciąż jest dla niej więzieniem. Poznając samą siebie, dowiaduje się spo-ro o ludzkości jako takiej.